Meu querido Bazar

grande surpresa nosso
lindo reencontro.

um enorme beijo c/
todo meu carinho

Bela

Rio / Gávea
13 set 2012

Do mesmo autor:

A Miscelânea Original de Schott
A Miscelânea da Boa Mesa de Schott

A MISCELÂNEA DE ESPORTES, JOGOS & ÓCIO DE SCHOTT

Concepção, texto e projeto gráfico de

BEN SCHOTT

INTRÍNSECA

Título original: Schott's Sporting, Gaming & Idling Miscellany™

© BEN SCHOTT 2004
Todos os direitos reservados

Publicado originalmente por Bloomsbury Publishing Plc.
Londres, 2004

Projeto gráfico de BEN SCHOTT
Tradução de ALEXANDRE MARTINS
Preparação e edição de CLAUDIO FIGUEIREDO
Diagramação de ANGELO ALLEVATO BOTTINO
Revisão de TAÍS MONTEIRO & JORGE FERNANDO BARBOSA

Esta tradução, acréscimos e material adicional em português
© 2011 Editora Intrínseca Ltda.

ISBN 978-85-8057-003-8

www.benschott.com
www.intrinseca.com.br

CIP-BRASIL. CATALOGAÇÃO-NA-FONTE
SINDICATO NACIONAL DOS EDITORES DE LIVROS, RJ.

S398m

Schott, Ben 1974-
   A miscelânea de esportes, jogos & ócio de Schott / concepção,
texto e projeto gráfico de Ben Schott ; tradução Alexandre Martins. -
Rio de Janeiro : Intrínseca, 2011.
   160p.

   Tradução de: Schott's sporting, gaming & idling miscellany
   ISBN 978-85-8057-003-8

   1. Esportes - Miscelânea. II. Título.

10-6137.   CDD 853
                                            CDU 821.131.3-3

A MISCELÂNEA DE ESPORTES, JOGOS & ÓCIO DE SCHOTT

Um livro de regras? Um certificado de *handicap*? Uma escalação? Um bilhete de apostas? Um vale-dança? Um bilhete do médico da escola?

A Miscelânea de Esportes, Jogos e Ócio de Schott é o terceiro compêndio de irrelevâncias até agora despercebidas. Seu objetivo é dar o pontapé inicial para bate-papos bem-humorados. Para isso, a *Miscelânea* lança uma vasta rede sobre o campo dos esportes, reunindo tudo, desde a Nobre Arte e o Belo Jogo até o Esporte dos Reis e a Perícia Elegante (ver p.140).

Mas toda essa atividade frenética tende a ser cansativa para os jogadores e apostadores mais sossegados. Assim, juntamente com esportes de campo, coletivos, de inverno e olímpicos, o atleta de poltrona encontrará jogos de tabuleiro, jogos de salão, brincadeiras entre amigos e jogos de azar.

E, buscando apresentar todo o espectro da (in)atividade humana (ver p.152), a *Miscelânea* se volta para os supremos passatempos da indolência – de cartas e palavras cruzadas a banhos e sonhos. Fundamental para preguiçosos, vagabundos e *flâneurs* – caso eles consigam reunir a energia necessária.

―――――――― MUITO TEDIOSO ――――――――

Foi feito um esforço enorme para que todas as informações contidas no almanaque estejam corretas. Contudo, como observou Oliver Goldsmith, um livro pode ser divertido com muitos erros, ou pode ser muito tedioso sem conter nem um único absurdo. O autor se exime de qualquer responsabilidade caso você pegue um resfriado ao fazer *streaking*, lance para o rebatedor, aumente a aposta contra um *royal flush*, diga *fizz* quando deveria dizer *buzz* ou se machuque horrivelmente em algum ponto da descida da Cresta Run.

Se você tiver sugestões,† correções, esclarecimentos ou exercícios de alongamento, por favor mande um e-mail para schott@intrinseca.com.br – ou envie-os ao autor aos cuidados de Editora Intrínseca Ltda. Rua Marquês de São Vicente, 99, 3º andar, 22451-041, Gávea, Rio de Janeiro, RJ, Brasil.

† O autor se reserva o direito de considerar de sua propriedade as sugestões e os exercícios, e de usá-los em futuras edições, em outros projetos ou de modo a adquirir uma aparência ágil e esbelta.

Foram escolhidos para o time:

Jonathan[e], Judith[j] e Geoffrey[ó] Schott.

Richard Album[e], Clare Algar[ó], Juliet Aston[ó],
Stephen Aucutt[j], Joanna Begent[j], Martin Birchall[j],
John Casey[ó], Andrew Cock[e], James Coleman[j],
Martin Colyer[ó], Victoria Cook[ó], Aster Crawshaw[ó],
Rosemary Davidson[ó], Jody Davies[e], Liz Davies[e],
Ellie Dorday[ó], Will Douglas[j], Jennifer Epworth[ó],
Kathleen Farrar[ó], Minna Fry[j], Penny Gillinson[ó],
Gaynor Hall[j], Charlotte Hawes[j], Max Jones[e],
Robert Klaber[e], Hugo de Klee[j], Lisa Koenigsberg[j],
Alison Lang[j], Rachel Law[ó], John Lloyd[e], David Loewi[ó],
Ruth Logan[ó], Chris Lyon[ó], Jess Manson[e],
Michael Manson[e], Sarah Marcus[ó], Susannah McFarlane[ó],
Peter McIntyre[ó], Colin Midson[j], David Miller[ó],
Polly Napper[ó], Sarah Norton[j], Mark Owen[e],
Cally Poplak[ó], Dave Powell[e], Alexandra Pringle[ó],
Daniel Rosenthal[e], Tom Rosenthal[e], Sarah Sands[e],
Ian Scaramanga[e], Carolyne Sibley[j], Rachel Simhon[ó],
James Spackman[e], Amy Stanton[e], Claire Starkey[j],
Bill Swainson[e], Matthew Thornley[j], David Ward[ó],
Ann Warnford-Davis[ó], William Webb[e] e Caitlin Withey[ó].

Toda a equipe será escalada no dia do jogo.
Por favor, certifiquem-se de que *desta vez* eles tenham o equipamento certo.

Convenção para atividade preferida: [e]sportes · [j]ogos · [ó]cio

Meus sinceros agradecimentos também a Graeme Garden e 'Dickie' Bird.

ESPORTE sério não tem nenhuma relação com *fair play*
(...) é uma guerra, só que sem os tiros.

— GEORGE ORWELL (1903–50)

O homem é um animal que JOGA. Ele precisa estar sempre
tentando conseguir o melhor em alguma coisa.

— CHARLES LAMB (1775–1834)

É impossível desfrutar plenamente o ÓCIO
a não ser que se esteja cheio de trabalho para fazer.

— JEROME K. JEROME (1859–1927)

DUCKS DO CRÍQUETE

DUCK† . . . . eliminado sem ter feito nenhuma corrida
PAR (DE ÓCULOS) . . . . *ducks* nos dois *innings* de uma partida
DUCK DE OURO. . . . . eliminado na primeira bola de alguém
PAR DE REIS. . . . . *ducks* de ouro nos dois *innings* de uma partida
DUCK DE PRATA . . . . eliminado na segunda bola de uma partida (?)
DUCK DE DIAMANTE . . . . eliminado na primeira bola de uma partida (?)
DUCK DE PLATINA . . . eliminado na primeira bola de uma temporada (?)

† O termo *duck* deriva da forma do número zero, que lembra um ovo de pato. O Primary Club é uma instituição de caridade de críquete fundada em 1955 para apoiar instalações esportivas e de recreação para deficientes visuais. A filiação é aberta a todos, mas dá-se preferência aos eliminados na primeira bola em qualquer momento do jogo. (Os tópicos com interrogação são, na melhor das hipóteses, tentativas, e, na pior, chutes completos.) Claro que no críquete francês (ver p.53), não é possível ser retirado na primeira bola.

MORTE E RISO

CALCAS · Um adivinho que morreu rindo com a ideia de que tinha vivido além da data que previra para a própria morte.

ZÊUXIS · Pintor do século V a.C., que morreu rindo à visão de uma bruxa que ele tinha acabado de pintar.

FILOMENO · Morreu rindo à visão de um asno comendo seus figos.

MARGUTA · Gigante que morreu de rir ao ver um macaco tentando calçar um par de botas.

TOMMY COOPER · Verdadeiro gigante da comédia que morreu no palco ao som de gargalhadas em 15 de abril de 1984.

CRASSO · Morreu de rir ao ver um asno comer cardos.

SRA. FITZHERBERT · Morreu em 19 de abril de 1782, no Drury Lane Theatre, rindo do péssimo desempenho de um ator.

Para detalhes sobre o rei da Birmânia que morreu rindo, ver p.50 de *A Miscelânea Original de Schott.*

SOLUÇÃO PARA A PREGUIÇA

No caso de um acesso de preguiça, recomenda-se que o indivíduo se sente e conte, segundo a segundo, o movimento do ponteiro do relógio durante uma hora, e ele ficará grato por se levantar e trabalhar como um mouro, em vez de passar outra hora da mesma forma.

— ANÔNIMO, *Conselho aos milhões dado por um amigo do povo,* ou *Como viver e se divertir com boa saúde por seis pence por dia,* c.1830

CROQUET NO PAÍS DAS MARAVILHAS

'Tomem seus lugares!', gritou a rainha com voz de trovão, e as pessoas começaram a correr, umas tropeçando nas outras; mas em um ou dois minutos elas estavam a postos, e o jogo começou. Alice pensou que nunca tinha visto um campo de *croquet* tão curioso em toda a sua vida; era cheio de calombos e buracos; as bolas eram ouriços vivos; e os tacos, flamingos vivos, e os soldados tinham de se curvar e se apoiar sobre as mãos e os pés para formar os arcos. De início a maior dificuldade que Alice encontrou foi controlar seu flamingo: ela conseguiu encaixar o corpo dele sob o braço de forma suficientemente confortável, com as pernas penduradas para baixo, mas, normalmente, quando ela conseguia fazer

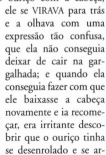

com que ele esticasse bem o pescoço e estava prestes a dar uma tacada no ouriço com a cabeça, ele se VIRAVA para trás e a olhava com uma expressão tão confusa, que ela não conseguia deixar de cair na gargalhada; e quando ela conseguia fazer com que ele baixasse a cabeça novamente e ia recomeçar, era irritante descobrir que o ouriço tinha se desenrolado e se arrastava para fora; além disso, normalmente havia um calombo ou um buraco na direção na qual ela queria arremessar o ouriço, e como os soldados curvados estavam sempre se erguendo e caminhando para outros pontos do campo, Alice logo chegou à conclusão de que de fato aquele era mesmo um jogo muito difícil.

— LEWIS CARROLL, *As Aventuras de Alice no País das Maravilhas*, 1865
[ilustração de Sir John Tenniel]

VALORES DAS BOLAS DE SINUCA

Vermelha............1	Marrom............4	Preta 7
Amarela............2	Azul................5	Laranja[†]............8
Verde 3	Rosa................6	Roxa[†] 10

† Essas duas bolas foram introduzidas na variação do jogo-padrão chamada *Snooker Plus* – concebida pelo campeão mundial de sinuca e bilhar Joe Davis em resposta ao temor de que a popularidade da sinuca estivesse diminuindo. Davis propôs que uma bola roxa fosse colocada entre a marrom e a azul, e uma laranja entre a azul e a rosa, na esperança de produzir um aumento na sequência de tacadas. A adição dessas duas cores significava que a sequência máxima possível aumentava de 147[‡] para 210. A *Snooker Plus* foi apresentada ao público em 1959 em um torneio *News of the World*, mas na verdade nunca fez sucesso.
‡ É possível uma sequência de 155, começando-se com uma bola livre vermelha e preta.

A LINGUAGEM DA FALCOARIA

Falcoaria é a arte de treinar e utilizar aves de rapina – falcões ou gaviões – a serviço do homem. Aparentemente a China conhecia a falcoaria já em 2000 a.C. (os chineses chegavam a caçar borboletas com falcões), e o Japão tomou conhecimento do esporte por volta de 600 a.C. A partir dessas civilizações e das rotas comerciais criadas por elas, a falcoaria foi se encaminhando para o Ocidente, adotada por persas, mongóis e árabes, antes de se espalhar pela Europa. Embora de acordo com a legislação inglesa (a Carta Florestal de 1217) qualquer homem pudesse ter um falcão, desde sua chegada à Grã-Bretanha a falcoaria foi considerada uma atividade nobre, aristocrática e fundamentalmente régia. (Em parte pelo custo dos animais, sua dieta sofisticada e o longo treinamento necessário.) Os falcões eram presenteados pelos monarcas, sendo até considerados um resgate adequado para aristocratas prisioneiros de guerra. Uma série de reis moldou a legislação para proteger seu direito de possuir falcões e de caçar com eles; sob Eduardo III o roubo de um falcão se tornou passível de punição com a morte. A distinção de classes na falcoaria determinava não apenas que tipo de falcão podia ser possuído por que indivíduo (ver p.118), mas também o vocabulário complexo empregado pelos falcoeiros. Como escreveu Ben Jonson, 'falar a língua da falcoaria era almejado pelo 'novo homem', que imitava os modos da antiga pequena nobreza'. Abaixo, algumas das expressões poéticas da falcoaria:

Falcões não dão crias, eles *legam sua visão*, e não saem da casca, *se revelam*. Falcões são *reformados*, não domesticados, e não são treinados, mas *feitos* ou *moldados*. Falcões não caçam animais: *voam em busca de pele*, *de pena* ou *de pluma*, e quando identificam sua presa, não mergulham, mas *arremetem* para atacar a *marca* (pescoço) de seu alvo. Uma vez morta, aquela presa se torna *pele*, não para digerir, mas para se *refazer*, especialmente se o falcão estiver com fome, ou *voraz*. Após uma refeição não se ajeitam com o bico, *rejubilam*, e não limpam os bicos, *capricham*. Criaturas tão distintas nunca estariam na muda; em vez disso, *desasam* [*mew*].† Falcões não se empoleiram, *assumem posição*; não bebem, *se empertigam*; não dormem, *se esquivam*; *agitam* as asas, em vez de batê-las, e não sacodem as penas, eles as *eriçam*. Não lutam com outros pássaros, *enfrentam*. Um falcão nunca está gordo ou acima do peso, mas *elevado*, e, quando elevado, será *contido* para eliminar o excesso de peso. Um falcão nunca fica constipado, *encalha*, e não tosse, *engulha*. Claro que os falcões nunca estão doentes – em vez disso, diz-se que sofrem de *descontentamento*.

---

† A palavra '*mew*' deriva das construções em que eles eram mantidos enquanto estavam na muda (ou *mewd*) – *mew* vem do latim *mutare*, 'mudar'. A atual acepção como o local onde os cavalos são estabulados remonta a 1534, quando o Royal Mews em Charing Cross, Londres (originalmente, o lar dos falcões do rei), foi passado para os cavalos.

A CORRIDA MALUCA

No desenho animado da Hanna-Barbera – inspirado no filme de Blake Edwards de 1966, *A Corrida do Século* – onze equipes disputam o título de 'Corredor mais maluco do mundo'. Os veículos e pilotos malucos são:

Nº	Veículo	Pilotos
00	Máquina do Mal	Dick Vigarista e Mutley
01	Carro de Pedra	Irmãos Rocha
02	Cupê Mal-assombrado	Medinho e Medonho
03	Carro Conversível	Professor Aéreo
04	Lata Escarlate	Barão Vermelho
05	Gato Compacto	Penélope Charmosa
06	Carro-tanque	Sargento Bombarda e soldado Micas
07	Bomba-bala	Quadrilha de Morte†
08	Carroça a Vapor	Tio Tomás e Chorão
09	Turbo Terrífico	Peter Perfeito
10	Carro-tronco	Rufus Lenhador e Dentes de Serra

† A Quadrilha de Morte era composta de Clyde, Dum-Dum, Willy, Kurby, Mac, Danny e Rug-Bug. Uma Quadrilha de Morte um pouco modificada apareceu em uma série de desenhos derivada desta, intitulada *Os Apuros de Penélope*, dirigindo o Chugabum.

O PRAZER DO GAMÃO

O gamão sempre foi um jogo doméstico, conjugal, para ser jogado ao lado da lareira; não é suficientemente abstruso para impedir a conversa sobre assuntos gerais; ao contrário do xadrez, do amor, da arte ou da ciência, não exige o homem por inteiro, embora o chacoalhar dos dados mantenha o ouvido alerta e a atenção desperta; sempre se mostrou um paliativo para a gota, o reumatismo, os demônios do firmamento ou para a melancolia.

— GEORGE FREDERICK PARDON, *Backgammon*, 1844

SOBRE JOGADORAS DE TÊNIS

WILFRED BADDELEY · 1895
'Se uma dama pretende jogar tênis sobre a grama, a primeira coisa que deve ter em mente é que precisa correr o tempo todo, e não simplesmente pegar aquelas bolas que vão em sua direção, desistindo das outras por serem difíceis demais.'

RICHARD KRAJICEK · 1992
'80% das mulheres que jogam em Wimbledon são porcas gordas preguiçosas que não deveriam ter o direito de pisar uma quadra.' (No dia seguinte esclareceu: 'Disse que 80% das 100 melhores são porcas gordas, mas exagerei um pouquinho. Queria dizer apenas 75%.')

TESTES DE SELEÇÃO DA 'COMPANHIA P'

O teste de seleção de paraquedistas do exército britânico é a antítese do ócio. A dura definição de missão da Companhia P, como é conhecida, é a seguinte:

Testar preparo físico, determinação e força mental sob condições de estresse, para determinar se o indivíduo tem a autodisciplina e a motivação necessárias para servir nas forças aerotransportadas.

Há uma preparação de três semanas, antes da semana final, com oito provas:

MARCHA DE 10 MILHAS [16km] · Com mochila de 16kg e armamento. A ser completada em 1h50.

TRAINASIUM · Curso aéreo de confiança de caráter eliminatório, atinge altura máxima de 20m.

CORRIDA DE TRONCOS · Equipe de oito homens carrega um tronco de *c.*175kg em pista de 1,6km.

CORRIDA DE 2 MILHAS [3,2km] · Com mochila de 16kg e armamento. A ser completada em 18min.

CORRIDA COM BARREIRAS · 25 obstáculos ao longo de 2,7km. A ser concluída em menos de 19min.

TRITURAÇÃO · Luta[†] de um assalto de 1min de duração, em que se usam luvas de 450g. Os soldados ficam no centro do ringue e desferem o maior número de golpes possível na cabeça e no tronco do adversário. 'Pugilismo' e defesa pessoal não são permitidos.

MARCHA DE RESISTÊNCIA DE 20 MILHAS [32km] · Com mochila de 16kg e armamento. Prova a ser concluída em 4h50.

CORRIDA DE MACA · Prova de equipe com até 18 homens em cada grupo, que carregam uma maca em uma pista de 8km de comprimento. Apenas quatro homens podem carregar a maca por vez.

[†] Visa a testar a 'agressão controlada' contra oponente de altura, idade e peso semelhantes – a pontuação vai de 0 a 10: 'Não demonstrar qualquer das qualidades de um soldado aerotransportado' recebe 0; 'Demonstrar mais interesse em se proteger que em lutar. Pequeno desejo de vencer e agressividade', 4, e 'Demonstrar altas doses de coragem, determinação e preparo físico. Apesar de castigos incessantes, manter a cabeça erguida e lutar', 10.

CRAPS

Craps é um jogo de dados criado no século XIX por Bernard de Mandeville a partir do jogo *hazard*. Usando dois dados, os jogadores perdem no primeiro lançamento se tirarem 2, 3 ou 12 (*craps*), mas ganham com 7 ou 11. Se o primeiro lançamento for 4, 5, 6, 8, 9 ou 10, esse número se torna o *ponto*, e o jogador continua até novamente arremessar o *ponto* (*fazer o ponto*), desse modo, vencendo, ou até arremessar um 7, quando então perde (*craps fora*).

PONTUAÇÃO NAS JUSTAS

Originalmente exercício de treinamento para a guerra, a justa se transformou num dos entretenimentos dos torneios do século XII (embora o combate até a morte – *à outrance* – tenha continuado a ser uma forma de duelo aceitável). Dois cavaleiros montados correm em lados opostos de uma divisória de madeira, apontando suas lanças para a cabeça ou o escudo do oponente, com o objetivo de derrubá-lo. Cada cavaleiro faz o percurso entre três e seis vezes, e seus pontos são marcados por arautos em 'cartões de justas' à tinta ou com arranhões em suas linhas: golpes no adversário, lanças partidas, lanças perdidas e número de corridas:

O sistema de pontuação em si não apenas era muito confuso, como também aparentemente variou de região para região e com o passar dos anos. Por exemplo: quebrar a lança derrubando o oponente normalmente valia 3 pontos, mas atingir a cerca por engano custava 2. Atingir o cavalo, golpear o oponente pelas costas ou após ele ter sido desarmado, ou acertar a divisória três vezes implicava a desclassificação do cavaleiro.

A MARATONA

Em 490 a.C. o soldado grego Feidípides[†] correu de Maratona a Atenas, aproximadamente 37 quilômetros, para levar a notícia de que os persas tinham sido derrotados no campo de batalha. Após transmitir a mensagem, caiu morto. Nos primeiros Jogos Olímpicos da era moderna, em Atenas (1896), foi disputada uma prova com aproximadamente a mesma distância para comemorar a corrida de Feidípides, e assim nasceu a maratona. Nas primeiras olimpíadas a maratona foi corrida em 41,6 quilômetros. Por 'sugestão' da rainha Alexandra (consorte de Eduardo VII), nos Jogos Olímpicos de Londres, em 1908, a maratona foi acrescida de 352 metros, de modo a começar no gramado do castelo de Windsor rumo ao estádio em White City. Isso permitiu que a princesa Maria e seus filhos assistissem à largada da janela do quarto das crianças. Até hoje alguns dos maratonistas mais sarcásticos gritam 'Deus salve a rainha' quando ultrapassam a marca dos 41,6 quilômetros. Em 1924 essa distância arbitrária se tornou o padrão da maratona.

[†] Há alguma polêmica quanto a ter sido realmente Feidípides quem fez essa famosa viagem. Parece provável que ele tenha corrido os 240 quilômetros de Atenas a Esparta para conseguir apoio *antes* da batalha. No entanto, há divergências quanto a se foi ele ou um mensageiro anônimo quem fez a corrida fatal de volta.

BUMBLEPUPPY

O termo *Bumblepuppy* tem sido usado para vários jogos: um raquetebol em que o objetivo é enrolar uma bola em torno de um mastro, ao qual é presa por uma corda (mais tarde, *swingball*); um *bagatelle al fresco* jogado com bolas de chumbo, e, talvez mais comumente, qualquer jogo descontraído ou não refinado de bridge ou uíste. W. Somerset Maughan escreveu:

Templeton não é o tipo de camarada de jogar bridge *bumble-puppy* com uma garota como aquela, a não ser que queira ganhar algo com isso.

YABBA

Stephen Harold 'Yabba' Gascoine (1878–1942) foi um vendedor ambulante de coelhos de Balmain que ficou famoso como o mais exaltado torcedor de críquete da Austrália. Apelidado de Yabba por falar demais ou como corruptela de seu grito de guerra 'rabbo', Gascoine foi responsável por agressões verbais lendárias no Hill do Sydney Cricket Ground, muitas das quais se tornaram parte integrante do vocabulário do críquete:

Sua distância é horrível, mas sua pança tem boa largura!
Será preciso chamar a brigada de incêndio para tirá-lo de lá!
Não se preocupe: com aquela bola ele teria me deixado sem defesa!
Mande um piano para ele e veja se ele é melhor nisso!
Cara, eu queria que você fosse uma estátua e eu fosse um pombo!

O lendário Jack Hobbs fez questão de se encontrar com Yabba após sua partida final em Sydney, em 1929, e quando Yabba morreu os espectadores no campo fizeram um minuto de silêncio em sinal (talvez irônico) de respeito. Um obituário do torcedor de voz rascante afirmou: 'Assim como só houve um Victor Trumper e um Don Bradman, só houve um Yabba' – legitimado por sua inclusão no *Dictionary of National Biography* da Austrália.

OS SETE PECADOS MORTAIS DO GOLFE

Afora o *air shot* (nem sequer bater na bola), os sete pecados do golfe são:

Topping . . . . bater no alto da bola com a base do taco
Duffing . . . . bater no chão antes de na bola
Sclaffing . . . . deslizar o taco sobre a grama antes de bater na bola
Heeling e *Toeing* . . . . bater na bola com uma das extremidades de um taco
Slicing . . . . quando a bola vai para a direita
Pulling . . . . quando a bola vai para a esquerda

———— A PONTE DE GRAVETOS DE POOH ————

O jogo de gravetos de Pooh foi apresentado ao mundo no eterno clássico de A.A. Milne: *Ursinho Pooh* (1926). O jogo implica jogar alguns gravetos de um dos lados da ponte e ver qual sai primeiro do outro lado. Costuma ser considerado um Jogo Muito Relaxante. A ponte sobre a qual Milne e seu filho Christopher jogavam fica na floresta de Ashdown, em East Sussex; foi construída em 1907 por John C. Osman, e originalmente era conhecida como Ponte Posingford. O desenho arquitetônico abaixo mostra a planta e o corte transversal da Ponte de Gravetos de Pooh, e sugere uma 'Linha de corrida' ideal para brincar de Gravetos de Pooh:

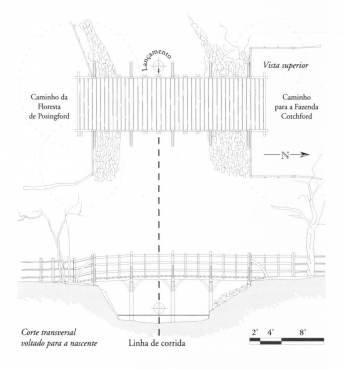

Pesquisas de campo indicam que a Linha de Corrida apresentada acima pode reduzir o tempo do graveto em até 5 segundos. Claramente, a Linha será influenciada por uma série de condições, incluindo clima, correnteza e pressão atmosférica, bem como destroços de naufrágios e cargas descartadas.

—— SOBRE A CLASSIFICAÇÃO DAS GARATUJAS ——

Garatujas são esboços ou rabiscos feitos enquanto a mente consciente está em outro lugar. Lamentavelmente, parece ter sido feita pouca pesquisa sobre essa fascinante área do ócio humano. Contudo, em 1938 o Dr. W.S. Maclay *et alli*. [*Proc Roy Soc Med* 1938; 31:1337-50] realizaram uma análise de 9 mil garatujas enviadas a um jornal pelos leitores. (O jornal prometeu enviar as garatujas para a análise de um 'psicólogo experiente' e dar prêmios.) O Dr. Maclay classificou e dividiu da seguinte maneira as garatujas:

tipo	composição	%
Cenas	*lembrando uma representação comum de um tema*	11
Variado	*itens isolados, bem espaçados, independentes entre si*	38
Mistura	*itens independentes, sobrepostos ou fundidos*	32
Rabiscos	*linhas ou garranchos não elaborados*	7
Ornamentos	*padrões decorativos estilizados*	12

Em cada grupo, as garatujas foram classificadas em função de quantos dos seguintes elementos elas apresentavam: estereotipia [repetição interminável], 30%; detalhes ornamentais, 60%; figuras, 38%; animais, 35%; objetos, 55%; rostos, 60%; movimento, 16%; números, 37%, e escrita, 60%.

Nos anos 1930 alguns restaurantes australianos ofereciam cardápios com espaço em branco para encorajar os fregueses a fazer garatujas nas cartas, e não nas toalhas de mesa. O verbo *doodling* também significa tocar gaita de foles.

——————— JAMES BOND X HUGO DRAX ———————

No romance de Ian Fleming, *007 Contra o Foguete da Morte* (1955), Sir Hugo Drax é suspeito de trapacear no *bridge* no aristocrático clube Blades. James Bond é chamado por M para investigar a suspeita, já que, como M alerta, 'trapacear no jogo ainda pode destruir um homem. Na Alta Sociedade, é praticamente o único crime que ainda acaba com você'. Bond descobre que Drax de fato é um trapaceiro que usa sua cigarreira de prata na cortina como um 'espelho', refletindo as cartas. Bond

```
                      BOND
                ♦ Q, 8, 7, 6, 5, 4, 3, 2
                  ♣ A, Q, 10, 8, 4
DRAX                                      MEYER
♠ A, K, Q, J              ♠ 6, 5, 4, 3, 2
♥ A, K, Q, J             ♥ 10, 9, 8, 7, 2
♦ A, K                   ♦ J, 10, 9
♣ K, J, 9
                      M
                ♠ 10, 9, 8, 7
                ♥ 6, 5, 4, 3
                ♣ 7, 6, 5, 3, 2
```

decide humilhar Drax trocando o baralho e fazendo uma boa mão. Bond atribui a mão ao jogador Ely Culbertson (1891–1955), embora provavelmente tenha sido uma versão da famosa mão do uíste que fez o duque de Cumberland (1721–65) perder uma aposta que teria sido de 20 mil libras.

A ARTE CORPORAL DE BECKHAM

David Beckham tem, até agora, as seguintes tatuagens gravadas no corpo:

Atrás do pescoço.... cruz com asas	Antebraço e... *Ut Amem et Foveam*[2]
Parte inferior das costas .. *Brooklyn*	Antebraço direito .... *VII*
Ao longo da coluna ... anjo da guarda	Antebraço d... *Perfectio in Spiritu*[3]
Entre os ombros .... *Romeo*	Tríceps direito....anjo, com o texto
Antebraço esquerdo ...... *Victoria*[1]	*In the face of adversity*[4]

[1] O nome da esposa está em híndi. Alguns apontam, maldosamente, que talvez haja um erro de grafia. [2] 'Que eu ame e acalente'. [3] 'Perfeição espiritual'. [4] 'Diante da adversidade'.

OS ESPORTES AZUIS DE OXBRIDGE

O primeiro confronto de equipes Oxford x Cambridge parece ter sido uma partida de críquete disputada em dois dias no Lord's, em 1827. Dois anos depois, a primeira corrida de barcos em Henley consolidou a rivalidade de Oxbridge. Contudo, foi apenas na segunda corrida de barcos em 1836 que nasceu a tradição de Oxford usar azul-escuro e Cambridge usar azul-celeste (na verdade, azul Eton). Atualmente, a cada ano as duas universidades conferem *Blue*, *Half Blue* e *Full Blue* aos que participam das competições esportivas — embora as instituições tenham critérios diferentes quanto aos esportes aos quais concedem essas distinções e frequentemente elas sejam diferentes entre homens e mulheres. A tabela mostra o status atual dos esportes *Full Blue*:

Esportes Full Blue	O♂	O♀	C♂	C♀
Futebol	*	*	*	*
Atletismo	*	*	*	*
Basquete	*	*	*	
Corrida de barcos	*		*	
Boxe	*		*	
Críquete	*		*	
Cross country	*	*	*	
Golfe	*	*	*	
Hóquei	*	*	*	*
Tênis (grama)	*	*	*	*
Rúgbi	*	*	*	*
Squash	*	*	*	*
Natação	*	*	*	*
Iatismo	*	*		
Danças		*		
Esgrima		*		
Caratê		*		
Lacrosse		*		*
Pentatlo moderno		*		*
Netball		*		*
Remo			*	*

Half Blue e *Full Blue* podem ser concedidos aos participantes de uma grande variedade de esportes, incluindo futebol americano, arco e flecha, badminton, dança de salão, basquete, canoa e caiaque, xadrez, críquete, *croquet*, *cross-country*, ciclismo, *Eton fives*, esgrima, voo livre, ginástica, hóquei no gelo, remo no Isis, judô, caratê, *korfball*, lacrosse, *life saving*, remo leve, tiro, polo, tênis, equitação, *rugby fives*, *rugby league*, iatismo, esqui, tênis de mesa, tae kwon do, salto ornamental, *frisbee*, vôlei, polo aquático, levantamento de peso e windsurfe.

─── A CORRIDA DE TOUROS DE PAMPLONA ───

Pamplona é a antiga cidade basca no norte da Espanha famosa por sua 'corrida de touros' anual, que ocorre de 7 a 14 de julho, como parte dos festejos de São Firmino – padroeiro da cidade. O propósito da corrida é transferir para a arena a cada manhã os seis touros que irão lutar à tarde. Durante séculos, centenas de destemidos ousaram correr pelas ruas estreitas na frente dos touros; o objetivo é ver quão perto a pessoa consegue chegar do animal sem ser atropelada ou chifrada até a morte. Os corredores devem entrar na área cercada da corrida às 7h30, depois do quê cantam uma música três vezes – às 7h55, às 7h57 e às 7h59:

A San Fermín pedimos, por ser nuestro patrón, nos guíe en el encierro, dándonos su bendición	*A São Firmino pedimos, por ser nosso patrono, que nos guie no cercado, nos dando sua bênção.*

Então, precisamente às 8h, um rojão é lançado para anunciar que os portões do cercado de *Santo Domingo* [A] estão abertos; um segundo rojão indica que todos os touros deixaram o cercado e estão correndo por *Santo Domingo* [B] na direção da *Plaza Consistorial* [C]. Uma curva fechada leva os touros para *Mercaderes* [D], onde eles viram e entram na longa e estreita *Estafeta*. Os touros tendem a reduzir a velocidade nesse trecho até que todos tenham saído da rua [E] e entrado no funil gradeado, *Teléfonica* [F], que os leva ao estreito *Callejón* [G], e daí à *Plaza de Toros* [H]. Um terceiro rojão indica que todos os touros entraram na arena, e um último rojão sinaliza o fim do espetáculo. A corrida de 825 metros dura em média 4 minutos.

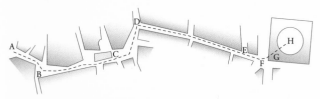

A popularidade da corrida é difícil de compreender, já que ferimentos e mortes não são incomuns. A cidade avisa que 'os corredores devem ser pessoas calmas, com bons reflexos e excelente condicionamento físico' – ainda assim, desde 1910 pelo menos 13 pessoas foram mortas durante a corrida.

─── XEQUE-MATE ───

O termo *xeque-mate*, usado no xadrez para descrever a situação em que um rei não pode fugir de um ataque, significa literalmente 'seu rei está morto', e vem das palavras árabes (e persas) *shah* (rei) e *mat* (morto).

———— DEFINIÇÃO DE MARCHA ————

A definição de marcha com finalidade de corrida é estabelecida pela Associação Internacional de Federações de Atletismo (IAAF), na Regra 230.1:

Progressão de passos, de modo que o marchador esteja em contato com o solo, evitando qualquer perda visível de contato. A perna que avança deve estar esticada desde o primeiro contato com o solo até a posição vertical estendida.

Dada a dificuldade de sustentar essa exigência em longas distâncias, desclassificações são comuns. Nos Jogos Olímpicos de Sidney, em 2000, Janet Saville estava a 150 metros do ouro na marcha de 20 quilômetros quando um fiscal italiano lhe deu um cartão vermelho por 'erguer a perna'.

——— NOMENCLATURA DAS TACADAS DE GOLFE ———

Ace .. acertar buraco com 1 tacada	Par	0
Deuce....... acertar com 2 tacadas	Birdie	-1
Duplo Bogey................... +2	Eagle	-2
Bogey........................... +1	Duplo Eagle, Albatroz	-3

Até a década de 1940, aproximadamente, o termo Bogey era usado da mesma forma que Par, isto é, o número 'inicial', ou o número de tacadas que um bom golfista precisava para chegar a um buraco. Posteriormente, talvez por influência americana, Bogey passou a significar uma tacada acima do par. O par de um buraco normalmente depende de sua distância: Par 3, abaixo de 250 jardas; Par 4, entre 251 e 475 jardas; Par 5, acima de 476 jardas. A etimologia de Birdie não é clara, embora possa derivar de uma antiga gíria americana em que um *bird*, pássaro, era algo puro, excepcional ou esperto. Pode-se supor com alguma segurança que o uso de Eagle e Albatroz surgiu simplesmente por serem eles pássaros mais impressionantes. No século XIX era utilizado outro conjunto de termos para descrever o número de tacadas que um jogador tinha dado em comparação com o adversário. Se seu adversário tivesse dado uma tacada a mais que você – o que é conhecido como *the odds* –, sua tacada seguinte seria *the like*; se os adversários tivessem dado duas tacadas a mais – ou seja, as 'duas mais' –, sua tacada seguinte seria *the one off two*; caso fossem três, *the one off three*, e assim por diante. Uma das definições para golfista é a de alguém que bate um cinco, grita *Quatro!* e marca um três.

———— TIPOS DE SINUCA ————

A bola a ser tacada está EM SINUCA quando o caminho para a bola-alvo é obstruído por outra bola. Uma SINUCA CHINESA ocorre quando a bola a ser tacada tem visão clara para a bola-alvo, mas a tacada é prejudicada por outra bola atrás da branca. A bola tacadeira está em SINUCA DE BICO quando sua trajetória para a bola-alvo é obstruída pelo canto da caçapa.

ALGUNS JOGOS DE SALÃO

O jogo HÉSTIA é feito com dois membros de um grupo definindo entre si uma palavra que tenha vários significados, e então discutindo numa conversa suas diferentes formas. Os outros membros do grupo só podem participar quando acham que descobriram a palavra misteriosa. Por exemplo, a palavra 'lebre' pode ser aplicada da seguinte forma: 'A sua corre muito?' 'Não, mas cresce rápido.' 'É marrom?' 'Certamente você pode ver que está ficando cinza!' – e assim por diante, até que apenas um jogador não tenha descoberto. Na variação NOVA HÉSTIA a palavra é definida por todos, menos um, que tem de adivinhar ao ouvir a conversa.

O tradicional jogo de agilidade matemática mental FIZZ BUZZ exige que os jogadores contem em sequência, a partir de um, substituindo qualquer múltiplo de 3 pela palavra *fizz*, e de 5 pela palavra *buzz*. Se um número for múltiplo de 3 e de 5, então é dito *fizz buzz*. Então: '1, 2, *fizz*, 4, *buzz*, 7, 8, *fizz*, *buzz*, 11, *fizz*, 13, 14, *fizz buzz*, 16...' e assim por diante. Claro que depois disso as coisas ficam mais difíceis.

No jogo de RIMAS cada jogador diz uma série de palavras que rima com determinada palavra escolhida, até que esta seja adivinhada pelos restantes. Por exemplo: um jogador que tenha escolhido a palavra 'gravata' pode dizer as palavras 'mata', 'pata', 'sucata' e assim por diante, até 'gravata' ser adivinhada.

A invenção dos blocos de notas adesivas facilitou enormemente o jogo DETETIVE OCULTO. Nele, cada um dos participantes ganha da pessoa à sua esquerda o nome de um personagem famoso, que o escreve em um papel e o prende à testa da vítima. Desse modo, embora quem recebeu o papel não possa ver o nome, ele é visível para todos os demais. Depois, os jogadores alternadamente fazem perguntas do tipo sim ou não sobre seu personagem, com o objetivo de identificá-lo.

No delicioso jogo de palavras LONDON UNDERGROUND os jogadores dão, alternadamente, definições de estações do metrô londrino para que os outros jogadores descubram:

Feito a partir de cerveja. Maida Vale
Inveja do vigário.... Parsons Green
Churrasco queimado .... Blackfriars
Saúde adicional......... Moor Park
Deixe o porco estragar ....
Turnham Green
Encha uma loja .... Stockwell
Grande covil de ladrões .... Morden
(Claro que o jogo pode ser jogado com qualquer malha de metrô ou, de fato, com qualquer geografia acordada. Compare esse jogo com *Mornington Crescent*, na p.153.)

O GATO DE SIMMONDS é apenas um entre muitos jogos com o alfabeto. Um após o outro, os participantes dão características para descrever o gato de Simmonds – cada um usando uma letra diferente do alfabeto. 'O gato de Simmonds é *astuto*'; 'é *bonito*'; 'é *carinhoso*'. Pode ser estabelecido um limite de tempo para torná-lo mais competitivo.

No jogo ADVÉRBIOS, um dos participantes sai da sala, enquanto os demais escolhem seu advérbio (por exemplo, *estupidamente, desajeitadamente, alegremente*). O jogador excluído pede a cada pessoa que faça algo (dar o laço no sapato, ler um jornal etc.) de acordo com seu advérbio. Esse jogador tem três chances de adivinhar o advérbio.

No início do jogo de soletrar FANTASMAS cada participante tem três vidas. O primeiro diz uma letra, à qual o seguinte tem de acrescentar outra. O jogador que, ao adicionar uma letra, formar uma palavra (com mais de três letras) perde uma vida. O jogador que é desafiado e não consegue formar uma palavra com as letras mencionadas perde uma vida. O jogador que propõe um desafio sem resposta perde uma vida. Quando um jogador perde todas as vidas, torna-se um 'fantasma', e não pode sugerir letras, mas tem o poder de atrapalhar e dar sugestões enganosas. Se um fantasma consegue enganar outro jogador para que perca uma vida, é ressuscitado e volta a participar do jogo. Jogadores experientes que se cansem do jogo básico podem jogar FANTASMA INVERTIDO, no qual as palavras são soletradas de trás para a frente.

REVERSE BOTTLETOP SPILLIKINS é jogado com uma caixa de fósforos e uma garrafa de vinho. Os jogadores equilibram fósforos no alto da garrafa de vinho; aquele que desequilibrar algum dos fósforos e o fizer cair é o perdedor.

O jogo O QUE ESTÁ ERRADO? é um simples teste de observação. Todos os jogadores, menos um, saem da sala, e em sua ausência é feita uma série de mudanças na arrumação do lugar (por exemplo, o relógio é adiantado em uma hora; um quadro é movido ou trocado de lugar etc.). Após alguns minutos os outros voltam e têm de escrever o que acham que mudou. Vence aquele que identificar o maior número de mudanças.

Vários jogos de salão podem ser feitos com uma pena. Em VOO DA PENA o objetivo é tentar manter uma pluma no ar soprando-a – quem tocar na pena sai do jogo. Já FUTEBOL DE PENA é jogado com duas equipes em lados opostos de uma mesa. O objetivo é soprar a pena para a parte adversária, de modo que ela toque um dos jogadores ou caia no seu lado da mesa.

PERSONAGEM ASSASSINADO é disputado entre amigos íntimos ou parentes. Uma pessoa sai da sala e as outras trocam de identidade entre si. O jogador que foi excluído tem de identificar quem é quem fazendo perguntas ou distribuindo tarefas. O jogo pode ser ampliado ao incluírem-se personagens que não estejam presentes, mas que sejam conhecidos de todos.

[Para uma seleção de prendas que podem ser usadas nesses jogos, ver p.136. Para o melhor dos jogos de salão, ver a suposta morte de Palmerston na p.45.]

────────── DICAS PARA ILUSIONISTAS ──────────

Conselhos de *The Magician's Handbook* (1902), de 'Selbit' – pseudônimo de Percy Thomas Tibbles –, que avisa: '[se estas] regras não forem seguidas, não se esqueça de que você foi alertado sobre se lembrar delas.'

1. Ao entrar na sala para fazer seu espetáculo, não circule e aperte as mãos da plateia. Isso poderia ser visto como intimidade descabida.

2. Não diga que se um truque não for devidamente aplaudido irá interromper o show. Isso poderia ser considerado impertinente.

3. Supondo que você esteja fazendo um truque com cartas e uma dama não escolha a carta que você está tentando forçar, não a maldiga. Maldizer não é considerado educado em sociedade.

4. Quando um cavalheiro calvo não gostar que você tire ovos e charutos de sua cachola, não diga a ele para não se encrespar.

5. Se errar um truque e a plateia perceber, não explique o equívoco dizendo que você é um idiota. Eles podem muito bem concordar.

6. Não chame a copeira por apelidos nem converse com ela e ignore a anfitriã. Lembre-se de que você está recebendo uma refeição grátis, e que é sua obrigação escutar a conversa das damas.

────────── PONTUAÇÃO DE SALTOS ORNAMENTAIS ──────────

O julgamento de saltos ornamentais pela FINA (Fédération Internationale de Natation) é um procedimento complexo. Os saltos propriamente ditos têm sua execução avaliada subjetivamente de acordo com os seguintes critérios:

0 ponto................... *salto falho*	5–6..................... *satisfatório*
0·5–2................. *insatisfatório*	6·5–8.......................... *bom*
2·5–4·5................... *deficiente*	8·5–10................. *muito bom*

Tradicionalmente, sete juízes costumam dar as notas; a mais alta e a mais baixa são descartadas e as restantes são somadas. Esse número é então multiplicado pelo grau de dificuldade do salto (GD), calculado pela soma dos pontos, de acordo com os cinco critérios a seguir:

A – mortais · B – posição no ar · C – giros
D – grupo de partida (por exemplo, apoiado nos braços)
E – entrada não natural (invertida ou com os braços esticados para a frente)

Assim, os saltadores podem pesar as probabilidades de uma nota alta de execução em um salto mais fácil e uma nota baixa em um mais elaborado.

——— PASCAL SOBRE O TÉDIO ———

Nada é tão insuportável para um homem quanto estar completamente em repouso, sem paixão, sem negócios, sem diversão, sem emprego. É quando ele sente sua nulidade, sua privação, sua insuficiência, sua dependência, sua impotência, seu vazio. Nesse momento, e das profundezas de sua alma, ele fará emergir tédio, escuridão, tristeza, dor, ressentimento, desespero.

— BLAISE PASCAL, *Pensées*, 1670

——— A REGRA DO IMPEDIMENTO: GUIA BÁSICO ———

No futebol, um jogador está em impedimento quando mais perto do gol do adversário que a bola e dois adversários. Porém, o jogador não pode estar impedido se [a] estiver no próprio campo ou [b] na mesma linha do penúltimo ou dos dois últimos adversários. Além disso, estar em posição de impedimento não é uma falta em si. O jogador só pode ser punido por estar em impedimento se, no momento em que a bola for lançada pelo companheiro, (na opinião do árbitro) tiver 'participação ativa'. Isso significa: [a] interferir na jogada; [b] atrapalhar um adversário, ou [c] tirar vantagem por estar em posição de impedimento. Recentemente a Fifa tentou modificar a interpretação de 'participação ativa' para estimular um futebol mais ofensivo. Por exemplo: 'interferir na jogada' deve ser interpretado como jogar ou tocar uma bola lançada ou passada por um companheiro, e 'atrapalhar um adversário' deve incluir obstruir a visão do goleiro ou fazer gestos para distrair ou enganar. Jogadores em impedimento também podem ser punidos caso se considere que eles tiraram vantagem de tocar uma bola rebatida na trave ou que tenha rebatido em um adversário. No esquema abaixo são dados três exemplos de impedimento:

impedido

não impedido

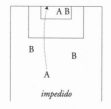

impedido

Contudo, os jogadores não podem ser punidos por estar em impedimento se receberem a bola diretamente de uma cobrança de tiro de meta, arremesso lateral ou escanteio. A penalidade para a infração do impedimento é a concessão ao time adversário de um tiro livre, cobrado no local da infração.

DOBRADURA DA SORTE

Pegue uma folha de papel quadrada e dobre os cantos ao meio
para marcar o centro [1]. Dobre os cantos para o centro [2] de modo
a formar um quadrado menor e vire o papel [3].

Dobre cada canto para o centro [4] e vinque
o quadrado no meio (horizontal e verticalmente) [5].
Dobre o papel ao meio e o vire [6]. Coloque os
polegares e indicadores dentro das quatro abas
e as movimente para a frente e para os lados.

Sob as abas internas, escreva uma série de previsões apropriadas ('Você gosta da Srta. Thomas'); a seguir marque as abas internas com números e pinte a face externa das abas em cores diferentes. Peça à vítima selecionada para escolher uma das cores externas e, usando os dedos sob as abas (como em 7), abra e feche a dobradura horizontal e verticalmente de modo alternado, uma vez para cada uma das letras da cor escolhida. Depois, com a dobradura aberta no ponto certo, peça à vítima para escolher um dos números visíveis. Abra e feche, então, a dobradura o número de vezes escolhido; erga a aba correspondente e revele o futuro.

OLAS

Embora as olas – o efeito ondulante de uma multidão de espectadores que se ergue e agita as mãos no alto de forma automática, em uma espécie de extensão distraída – façam parte da diversão nos estádios há muito tempo, a expressão só foi cunhada durante a Copa de 1986, no México. A pesquisa sobre essas ondas feitas por Illés Farkas *et al.* [*Nature* 2002; 419:131-2] revela que as ondas se movem em sentido horário a uma velocidade média de 12 metros (cerca de 20 lugares) por segundo. Elas tendem a ter largura entre 6 e 12 metros (cerca de 15 lugares), e podem ser iniciadas por poucas dezenas de espectadores. No Lord's (o lar espiritual do críquete) as olas contornam o campo, mas são interrompidas nas arquibancadas Allen e Warner, passando de forma invisível pelos lugares dos membros do Marylebone Cricket Club. A inação dos membros normalmente é acompanhada de fortes vaias.

AS CORES DAS BOLAS DE SQUASH

As bolas de *squash*, qualquer que seja a cor dominante, normalmente são marcadas com um ponto colorido que indica a velocidade que atingem. Os melhores jogadores usam as mais lentas, e os amadores, as mais rápidas:

Superlenta .. Ponto Amarelo (Duplo)	Média .... Ponto Vermelho
Lenta...... Ponto Branco ou Verde	Rápida .... Ponto Azul

As competições organizadas pela Federação Mundial de Squash são disputadas com bolas Ponto Amarelo (ou Ponto Amarelo Duplo), as mais lentas disponíveis, que precisam obedecer a especificações técnicas muito precisas:

Peso..24g (±1)
Diâmetro....................40mm (±0·5) [*bolas maiores podem ser permitidas*]
Dureza.......................................3·2 (N/mm @ 23ºC) (±0·4)
Elasticidade em rebote – de 254cm @ 23ºC.........................>12%
Elasticidade em rebote – de 254cm @ 45ºC.....................26–33%

CONTAGEM DE TIROS

No tiro, dois pássaros são uma PARELHA e três pássaros são uma TRINCA.

PEDRAS NA ÁGUA, CARNEIROS E OVELHAS

'Arremesso de pedrinhas' é a nobre arte de lançar pedras à superfície plácida de um lago ou rio, com o objetivo de que elas ricocheteiem pela água o maior número de vezes possível antes de afundar. Pedras lisas e chatas e conchas são a munição ideal, como observa o poeta Butler:

Ardósias trabalhadas são as melhores para, Na superfície da água, saltar e quicar.
— SAMUEL BUTLER, *Hudibras*, ii 3

Alguns praticantes britânicos registram o número de saltos utilizando os termos tradicionalmente empregados pelos pastores para contar suas ovelhas:

1.................Yan	8 ....Overa	15.............Bumfit
2.................Tan	9 ....Covera	16......Yan-a-Bumfit
3.............Tether	10 ....Dicks	17......Tan-a-Bumfit
4.............Mether	11 ......Yan-a-Dicks	18...Tether-a-Bumfit
5...................Pit	12......Tan-a-Dicks	19..Mether-a-Bumfit
6.............Tayter	13 ....Tether-a-Dicks	20.................Jiggit
7.............Layter	14 ...Mether-a-Dicks	*(20 formam um 'score')*

---------- A DISTINÇÃO DE OCIOSOS DE DICKENS ----------

O Sr. Thomas Idle e o Sr. Francis Goodchild (...) eram ambos ociosos no mais alto grau. Contudo, entre Francis e Thomas havia uma diferença de caráter: Goodchild era laboriosamente ocioso, e aceitaria qualquer grau de sofrimento e esforço para se assegurar de que era ocioso; em síntese, ele não tinha melhor ideia de ociosidade que a de uma atividade sem valor. Thomas Idle, por outro lado, era um ocioso ao estilo misto irlandês ou napolitano; um ocioso passivo, nascido e criado ocioso, um ocioso coerente, que praticava o que poderia pregar, se não tivesse sido ocioso demais para pregar; um crisólito perfeito e consumado de ociosidade.

— *The Lazy Tour of Two Idle Apprentices*, 1857

---------- A IMPROVÁVEL INVENÇÃO DO XADREZ ----------

John de Vigney, autor de *The Moralisation of Chess*, afirmou (de forma um tanto bizarra) que um filósofo chamado Xerxes inventou o jogo de xadrez no reinado do monarca babilônico Evil-Merodach (*c.*?6 a.C.) da seguinte forma:

Há três motivos que levaram o filósofo a criar esse novo passatempo: primeiramente, recuperar um rei iníquo; em segundo lugar, evitar o ócio, e, finalmente, demonstrar de forma prática a natureza e a necessidade da nobreza.

---------- DISTONIA FOCAL, REPRESSÃO E TIQUES ----------

'Tiques' são os espasmos, tremores ou paralisias involuntários e incontroláveis que afetam alguns indivíduos durante a realização de determinadas atividades que exigem controle motor fino. No mundo dos esportes, em que movimentos finos podem ter importância fundamental, os tiques são associados principalmente ao golfe, especialmente *putting* e *chipping*, quando um tique súbito do pulso pode mandar uma bola para longe do buraco. Segundo Smith *et al.* [*Sports Med.* 2003; 33:13-31], golfistas com tiques acrescentam aproximadamente 4,7 tacadas ao resultado em 18 buracos. Contudo, os tiques também podem afetar uma série de outros esportistas, entre eles jogadores de boliche, de sinuca, lançadores de dardos e mesmo jogadores de bocha. Foram feitas muitas pesquisas sobre os tiques, e alguns resultados neurológicos indicam que podem se tratar de uma forma de distonia focal. Tais distonias específicas de tarefas afetam grupos de músculos, normalmente quando submetidos a estresse repetido, e entre elas está a usual 'cãibra de escrivão'. A sugestão controvertida de que fatores psicológicos, como 'ansiedade de desempenho' ou 'repressão', possam contribuir para esses movimentos involuntários nos esportes é muito discutida.

'UMA TREMENDA SURRA'

Comentário infame de Bjørge Lillelien após a Noruega derrotar a Inglaterra por 2 a 1 em Oslo em uma eliminatória da Copa do Mundo de 1981:

Lorde Nelson! Lorde Beaverbrook! Sir Winston Churchill!
Sir Anthony Eden! Clement Attlee! Henry Cooper! Lady Diana!
Maggie Thatcher! Está me ouvindo, Maggie Thatcher?
Seus garotos levaram uma tremenda surra!
Seus garotos levaram uma tremenda surra!

A VOLTA DO CAVALO

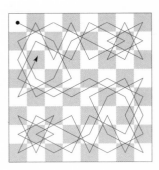

A Volta do Cavalo é uma charada matemática de xadrez, que objetiva mover o cavalo (como ele se movimenta no xadrez) 64 vezes, parando apenas uma vez em cada casa. Uma solução 'perfeita' é aquela em que o cavalo termina numa casa a uma posição do ponto de partida, o que demonstra que a volta poderia ser continuada *ad infinitum*. O trajeto ao lado, de Monneron (1776), é um exemplo de uma Volta do Cavalo perfeita.

CONTAGEM DE NOCAUTE NO BOXE

No boxe olímpico, se um lutador é derrubado, o juiz dispara uma contagem de 10 segundos um segundo após a queda. (Se o adversário não se afastar para um canto, o juiz interromperá a contagem até que ele o faça.) Assim que o juiz chega a dez e grita '*out*' o combate termina em nocaute. De modo algum a luta pode ser reiniciada antes que o juiz tenha contado até 8, mesmo que o lutador abatido esteja pronto para recomeçar. Se o mesmo pugilista cair novamente, sem ter recebido novo golpe, o juiz retoma a contagem a partir de 8. Se os dois forem ao chão juntos, a contagem continua enquanto um deles estiver no chão. Um pugilista vai ao chão se, como resultado de um golpe ou de uma série de golpes:

Ele tocar o chão com qualquer parte do corpo que não os pés
Ele ficar pendurado nas cordas, indefeso
Ele estiver do lado de fora ou parcialmente do lado de fora das cordas
Ele estiver em estado semiconsciente e não puder continuar o combate

FUTEBOL STONYHURST

Variação de futebol praticada em Stonyhurst e em algumas outras escolas. Difere do futebol e do rúgbi principalmente nos seguintes aspectos: (1) não há número definido de jogadores; (2) a bola pode ser tocada com a mão durante o jogo, mas não segurada ou carregada, como no rúgbi; (3) investir contra outro jogador ou tratá-lo de forma dura é proibido. As traves do gol são mais altas, e o espaço entre elas, menor que em qualquer outra variação do esporte; a bola é pequena e redonda. É semelhante a um tipo de futebol praticado em Eton, e claramente é uma herança do passado. Nas partidas os times normalmente têm nomes como 'Franceses x Ingleses' nas *Grand Matches*, um resquício significativo dos velhos dias continentais; 'Federais x Aliados' (hoje obsoletos); 'Canos x Janelas' – uma das partidas improvisadas prediletas, em que os 'Canos' eram os que se sentavam de um dos lados do velho Study Place, e os 'Janelas', os que ficavam do outro. Agora que os canos (canos de água quente) estão do mesmo lado das janelas, o jogo costuma ser chamado de 'Paredes x Janelas', mas algumas vezes 'Canos da Capela x Janelas'. Outra das disputas favoritas é a conhecida como 'Glabros x Barbados'.

— JOHN STEPHEN FARMER, *The Public School Word-Book*, 1900

TISCHFUSSBALL etc.

O jogo de futebol totó é praticado no mundo inteiro, com diferentes nomes:

Tischfussball (Alemanha) · *Baby-foot* (França) · *Csocsó* (Hungria)
Tafelvoetbal (Holanda) · *Bordfodbold* (Dinamarca) · *Calcio Balilla* (Itália)
Table Football (Grã-Bretanha) · *Futbolín* (Espanha) · Etc.

AS MULHERES E O MOVIMENTO OLÍMPICO

Embora o movimento olímpico goste de se apresentar como inclusivo e meritocrático, nem sempre foi assim. O 'pai' dos Jogos Olímpicos modernos, Pierre de Coubertin (ver também p.71) se opôs à inclusão de mulheres nos Jogos, afirmando que 'Olimpíadas com mulheres seria algo incorreto, impraticável, desinteressante e nada estético'. Uma antiga determinação do COI sobre o tema declarou: 'Sentimos que os Jogos Olímpicos devem ser reservados à exaltação solene e periódica do atletismo masculino, com o internacionalismo como base, a lealdade como meio, as artes como cenário e o aplauso feminino como recompensa.' No ano 1900 as comportas se abriram, e 11 mulheres (contra 1.319 homens) foram autorizadas a competir em tênis e golfe.

PERSONAGENS E ARMAS DE DETETIVE

O tenso jogo de tabuleiro *Detetive* (*Cluedo* ou *Clue*) começa com o assassinato do Dr. Pessoa por um dos seguintes personagens:

Cel . Mostarda............amarelo	Srta. Rosa................vermelho
Sr. Marinho ....azul-escuro	Dona Branca................branco
Prof. Black...................preto	Dona Violeta.................roxo

As armas do crime e os aposentos em que eles são colocados no início são:

Punhal...............salão de festas	Corda.................sala de estar
Cano ....sala de música	Castiçal...............sala de jantar
Revólver.................biblioteca	Chave inglesa ....cozinha

Detetive – Os Simpsons, ambientado em Springfield, começa com a investigação pelo chefe Wiggum do assassinato do encarquilhado plutocrata Monty Burns. Os suspeitos são: Homer, Marge, Lisa, Bart, o palhaço Krusty e Smithers. As armas são: a rosquinha envenenada, a luva extensível, um colar, uma estilingue, uma vareta de plutônio e um saxofone. Os cenários são: o Boliche, a Mansão Burns, a Casa dos Simpsons, os Estúdios Krustylu, a usina nuclear, o Holandês Fritador, o Castelo dos Aposentados, o Android's Dungeon e o Mercadinho Rápido.

MEDIDA DE ALTURA PARA SURFE

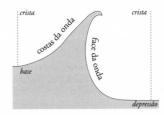

Tradicionalmente, os surfistas havaianos costumavam medir a altura das ondas pela parte de trás da crista. Porém, como o resto do mundo utiliza a face da onda como medida-padrão, a 'Escala Havaiana' (que tendia a ser entre ⅓ e ½ inferior à altura da face†) deixou de ser comum.

face (cm)	descrição		
0–30.......pé–tornozelo	120–150 ... cintura–peito	210–300.. ac. da cab. e ½
60–90 ....joelho–cintura	150–180.... peito–cabeça	300–450....2x ac. da cab.
	180–210 . cab.–ac. da cab.	450–600....3x ac. da cab.

† Embora haja controvérsias sobre as origens do sistema havaiano, ele parece ser parte de um machismo reverso, pelo qual os surfistas subestimam as ondas que pegam.

O HÁBITO DA SINUCA

Jogar sinuca nos dá mãos firmes e ajuda a formar o caráter.
É a diversão ideal para freiras devotadas.

— ARCEBISPO LUIGI BARBARITO, *Núncio Apostólico Emérito*, 1989

TICK TACK ou TIC TAC

Os homens *Tick Tack* (ou 'telegrafistas de pistas de corrida', ou 'agitadores de braço') utilizam uma série complexa de sinais para transmitir a seus colegas as cotações de cavalos ou cães. Alguns desses esplêndidos sinais (extraídos do Sistema Piney) são apresentados nas ilustrações abaixo:

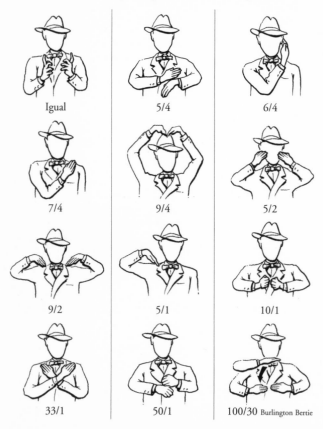

Igual   5/4   6/4

7/4   9/4   5/2

9/2   5/1   10/1

33/1   50/1   100/30 Burlington Bertie

Os anotadores devem ser alertados de que *Tick Tackers* de luvas brancas são astutos demais para utilizar um código que qualquer um possa compreender. Não apenas os códigos variam, como também cada empresa de apostas usa (e muda constantemente) uma 'carta falsa' que confunde as apostas. Assim, se um telegrafista de pista sinaliza 100/30, pode estar querendo dizer 5/4.

—— TORNEIOS DO GRAND-SLAM DE GOLFE ——

Masters (abril) · US Open (junho) · British Open (julho) · PGA (agosto)

—— ESCALADA NOTURNA DE CAMBRIDGE ——

The Night Climbers of Cambridge foi publicado sob pseudônimo em 1937 por 'Whipplesnaith' (possivelmente Noël Howard Symington). Dizia-se que o livro tinha sido classificado como 'restrito' pela biblioteca da Universidade de Cambridge não apenas porque incitava os novatos a escalar os monumentos históricos da cidade à noite, mas também porque oferecia instruções detalhadas de como fazê-lo. O livro explica as duas principais variações na paisagem de escalada (o cano de escoamento e a chaminé), e detalha alguns dos roteiros mais interessantes. Escalar a Old Library na Senate House Passage é visto como uma escalada de principiantes, que oferece um acesso tão 'elegante' ao King's College, que é ideal para o farrista 'se ele estiver vestido para a noite'. Um roteiro próximo é escalar a fachada sul de Gonville & Caius e saltar cerca de 2 metros até o telhado da Senate House. Outros roteiros detalhados por Whipplesnaith incluem a fachada do Fitzwilliam Museum; o portão principal de St. John's; a Bridge of Sighs; a fachada norte de Pembroke; a Trinity Library; o canto sudeste de Clare; e, claro, a King's Chapel. 'Provavelmente não há prédio no mundo que tenha despertado tanto o interesse dos escaladores quanto a King's Chapel (...) ela é tão fascinante, que a mente não relaxa.' Whipplesnaith descreve os vários estágios da escalada, desde como penetrar na King's, para começar, aos prós e contras de usar o cabo do para-raios. Aparentemente, entre as duas guerras mundiais o teto da King's Chapel estava lotado de escaladores, como observou o *The Times* em 25 de maio de 1932:

> BANDEIRA E GARRAFA EM CAPELA DE CAMBRIDGE
> *Escaladores de telhados mais uma vez estiveram ocupados na King's College Chapel, Cambridge, na noite de segunda-feira, e prenderam uma bandeira da Grã-Bretanha no pináculo nordeste. Foi estendido um cabo desse pináculo ao pináculo central, no qual está pendurada uma garrafa de vinho. O guarda-chuva preso ao pináculo oposto ainda está lá, mas em péssimas condições.*

Claro que, como a maioria dos prédios descritos em *The Night Climbers of Cambridge* é de monumentos preservados, o livro conserva sua utilidade.

—— TURFE BRASILEIRO ——

Grande Prêmio Brasil (RJ – agosto) · Grande Prêmio São Paulo (SP – maio)

—— PERSONAGENS DO BARALHO FRANCÊS ——

Existem muitas especulações concernentes às identidades das 12 cartas figuradas do tradicional baralho francês. Uma possível explicação é:

Naipe	Rei	Dama	Valete
Espadas	Davi (judeu)	Palas (sabedoria)	Ogier
Paus	Alexandre (grego)	Judite (temperança)	Lancelote
Ouros	César (romano)	Raquel (piedade)	Heitor
Copas	Carlos Magno (franco)	Juno (realeza)	La Hire

—— DANÇAS FOLCLÓRICAS INGLESAS ——

Remontando ao século XV, a morris dance é uma dança folclórica, uma diversão popular que pode ter sua origem nos antigos cultos de fertilidade. Muitas das danças e canções folclóricas que resistem foram preservadas por Cecil Sharp, que começou a colecioná-las em 1899. A maioria das danças folclóricas modernas apresenta homens (e atualmente mulheres) vestidos de trajes brancos com rosetas, flores, fitas e sinos, que carregam lenços, bastões ou bexigas de porco infladas. Algumas das danças são:

DANÇAS DO BASTÃO · Os dançarinos carregam na mão direita um bastão curto que é batido de forma ritmada. Exemplos: *Bean-setting, Lads a Bunchum, Vandalls of Hammerwich, Rodney.*

DANÇAS DO LENÇO · Lenços brancos são segurados com as duas mãos, entre o indicador e o polegar, para que se agitem gentilmente durante a dança. Exemplos: *Country Gardens, Bobbing Joe, Laudnum Bunches.*

LENÇOS DE LIGAÇÃO · Lenços são segurados em pares e usados para criar túneis etc. Exemplo: *The old woman who carried a broom.*

DANÇAS DE RODA · Duplas dançam em sequência, enquanto outras acompanham. Exemplos: *Trunkles, The old frog dance, How d'ye do, sir?.*

DANÇAS DE PROCISSÃO · Normalmente acontecem como parte de um desfile que se move para a frente. Exemplo: *Bonny Green Garters.*

JIGAS FOLCLÓRICAS · Em geral, uma dança solo em que os outros dançarinos imitam os movimentos do primeiro. Exemplos: *Lumps of plum pudding, The Nutting Girl.*

A observação mais infame e constantemente repetida sobre esse tipo de atividade é: 'Você deveria tentar experimentar tudo, exceto incesto e dança folclórica.' Ao longo dos anos, a citação foi atribuída a muitos, entre eles Sir Thomas Beecham, Sir Malcolm Sargent, Noël Coward e Sir Arnold Bax (citando 'um simpático escocês'). Chegou mesmo a ser repetida na Câmara dos Lordes pelo lorde McIntosh de Haringey. A citação foi usada como título de um livro fantástico sobre comida britânica de Jonathan Meades, assim como da curiosa autobiografia da, digamos, 'modelo' Linzi Drew.

SOBRE PRESTIDIGITADORES

A profissão de prestidigitador, assim como a de menestrel, ganhou uma reputação tão ruim entre o público no final do reinado da rainha Elizabeth, que os artistas eram relacionados pelos autores morais da época não apenas entre rufiões, blasfemos, ladrões e vagabundos, mas também entre hereges, judeus, pagãos e feiticeiros. Mais recentemente, o prestidigitador foi chamado em inglês de *hocus-pocus*, expressão aplicável ao batedor de carteiras ou ao vigarista comum.

— JOSEPH STRUTT, *Sports & Pastimes of the People of England*, 1801

DECISÕES DE LINHA NO FUTEBOL

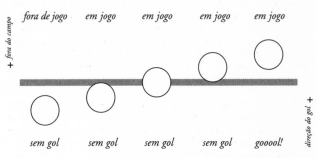

AS LUTAS DE ROCKY

FILME	ADVERSÁRIO	RESULTADO
Rocky (1976)	Apollo Creed[1]	*Creed vence por pontos – 15º assalto*
Rocky II (1979)	Apollo Creed	*Rocky vence – nocaute no 15º assalto*
Rocky III (1982)	Clubber Lang[2]	*Rocky perde – nocaute no 2º assalto*
		novo combate; Rocky vence – nocaute no 3º assalto
Rocky IV (1985)	Ivan Drago[3]	*Rocky vence – nocaute no 15º assalto*
Rocky V (1990)	Tommy Gunn[4]	*Rocky derrota o punk em luta de rua*
Rocky VI (2006)	Mason Dixon[5]	*Dixon vence por pontos – 10º assalto*

Sylvester Stallone escreveu pessoalmente todos os filmes *Rocky* após se inspirar em uma luta entre o 'joão-ninguém' Chuck Wepner e Muhammad Ali, na qual Wepner, para espanto de todos, resistiu os 15 assaltos. O primeiro *Rocky* ganhou o Oscar de melhor filme, e Stallone foi indicado ao prêmio de melhor ator. [1] Apollo Creed foi interpretado por Carl Weathers. [2] Clubber Lang foi interpretado pelo lendário Mr. T. No filme ele diz a frase famosa: '*Não, eu não odeio Balboa. Eu tenho pena do idiota!*' [3] Ivan Drago foi interpretado por Dolph Lundgren. *Rocky IV* apresenta um combate ressentido da Guerra Fria produzido pela morte do americano Apollo Creed nas mãos do russo Ivan Drago. [4] Tommy Gunn foi interpretado por Tommy Morrison. [5] Mason Dixon foi interpretado por Antonio Tarver.

A CORRIDA DE MILHA

A milha era originalmente uma unidade romana de mil passos (aproximadamente 1.600 metros), mas desde então variou muito, dependendo dos países e das culturas. Desde 1592 a Milha Estatutária [decreto 35 Eliz. I, c.6, s.8] foi definida como 1.760 jardas, ou 1.609 metros. Durante muitos anos acreditou-se que correr 1 milha em menos de 4 minutos estava além da possibilidade do homem. Com a popularização do atletismo e o surgimento de relógios capazes de registrar frações de minuto, aumentou a ânsia por superar essa barreira. Ao longo das décadas de 1930, 40 e 50, segundos foram sendo retirados da milha, e no dia 6 de maio de 1954 Roger Bannister conseguiu o tempo recorde de 3 minutos, 59 segundos e 4 décimos.

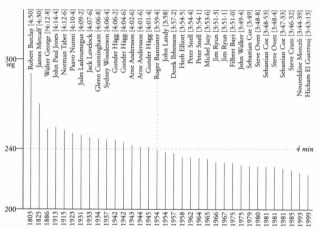

Embora o recorde de Bannister tenha durado apenas 46 dias, ficou claro, assim que anunciado, que a corrida tinha sido algo único. Como noticiou o *Times* de Londres no dia seguinte: 'O desempenho de Bannister (...) dá a ele imortalidade atlética, não importando que em pouco tempo outra pessoa melhore uma fração de segundo – ou mesmo pouco mais que isso.'

A HONRA DO GOLFE

A 'honra' do golfe (isto é, o jogador que dá a tacada inicial) é decidida no primeiro buraco por sorteio. A seguir, o jogador que marca menos em cada buraco tem a honra no seguinte. Se há empate, o jogador que teve a honra nos buracos anteriores dá a primeira tacada. Durante um jogo, a bola mais distante do buraco deve ser a primeira a ser tacada.

PILATES

O alemão Joseph Hubertus Pilates (1880–1967) criou um sistema de exercícios para desenvolver e aumentar a força, a postura e a flexibilidade, batizado de CONTROLOGIA. Pilates foi uma criança com problemas de saúde, que desde a juventude estudou anatomia para fortalecer seu corpo. Ele viajou para a Inglaterra em 1912 (aparentemente, para trabalhar como artista de circo), mas dois anos depois, com o início da Segunda Guerra, foi detido como inimigo. Nos campos, Pilates trabalhou como enfermeiro e fez experiências com diversas técnicas e equipamentos para reabilitar os imobilizados. Ao ser libertado, usou essas habilidades para ajudar a treinar a polícia alemã, antes de emigrar para Nova York em 1925 e abrir uma academia. Desde então suas técnicas foram adotadas em todo o mundo, e são utilizadas por muitos atletas, dançarinos, atores, esportistas e mulheres, assim como por doentes.

MÚSCULO

O corpo humano tem entre 40 e 50% de músculos – tecido contrátil capaz de iniciar e de sustentar o movimento. Há três tipos principais de músculo:

ESTRIADO...... *controle voluntário; normalmente ligado aos ossos por tendões*
LISO... *sem controle voluntário; presente no intestino, nos vasos sanguíneos etc.*
CARDÍACO .... *presente apenas no coração; pulsa de forma ritmada*

AS PALAVRAS CRUZADAS E A INQUISIÇÃO

Muitos criadores de palavras cruzadas crípticas escondem seu trabalho diabólico sob um manto de segredo. Para manter a coerência e evitar o culto à personalidade, as cruzadas do londrino *Times* sempre foram anônimas. Por outro lado, o antigo editor de cruzadas do *Guardian*, John Perkin, introduziu pseudônimos para identificar diferentes autores 'tanto como uma promessa quanto como um alerta aos leitores'. Entre os autores mais festejados está Edward Powys Mather, que trabalhou no *Observer* entre 1926 e 1939 sob o nome de TORQUEMADA – uma referência a Tomás de Torquemada, o primeiro inquisidor-geral da Inquisição espanhola. Mather foi sucedido por Derrick Macnutt, que trabalhou até 1972 como XIMENES – outro inquisidor-geral, cardeal Francisco Ximénes de Cisneros. Quando Jonathan Crowther assumiu, escolheu o pseudônimo AZED, ao mesmo tempo um jogo de palavras com o alfabeto e um anagrama de um terceiro inquisidor-geral, Diego de Deza. Um dos mais estimados é John Graham, que escreve para o *Guardian* como ARAUCÁRIA (conhecida em inglês como *monkey-puzzle tree*, ou 'árvore quebra-cabeça de macacos') e para o *Financial Times* como CINEPHILE (anagrama de *chile pine*, outro nome em inglês para 'árvore'.)

SOMBRAS COM AS MÃOS

Porco

Pomba

Elefante

Galgo

As sombras das coisas são maiores que elas mesmas, e quanto mais exageradas as sombras, mais improvável a substância.
— HERMAN MELVILLE

Coelho

Bode

Camelo

Cachorrinho

OS CHUKKAS DO POLO

O jogo de polo é dividido em *chukkas* de 7 minutos e meio. Ao final de cada *chukka* um sino é tocado e o jogo é estendido por mais meio minuto, a não ser que a bola saia ou o árbitro anote uma falta. [O último *chukka* de uma partida é encerrado com 7 minutos, sem tempo de acréscimo.] Entre cada *chukka* há um intervalo de 3 minutos, ampliado para 5 minutos na metade da partida. A partida tem a duração de seis *chukkas*, mas algumas vezes são disputados quatro ou oito, por consenso. Se, ao término do último *chukka*, o placar estiver empatado, é pedido um intervalo de cinco minutos, a distância entre as metas é aumentada de 8 para 16 jardas e é disputado um *chukka* adicional até que seja marcado o gol decisivo. [*Segundo o* Oxford English Dictionary, *a palavra* chukka *deriva do hindustâni* chakar *e do sânscrito* cakra, *e significa círculo ou roda.*]

SESTAS

Uma das glórias do ócio é a sesta – um pequeno cochilo no meio do dia, popular no Mediterrâneo e nas regiões vizinhas, mas igualmente apreciado em países de todo o mundo. A palavra vem da expressão latina *sexta hora*, que, na maioria dos países temperados, costuma ser a mais quente. Talvez por causa do clima ruim, os ingleses tenderam a desprezar a prática de cochilar durante o dia, como o ator Noël Coward observou:

> Cães loucos e ingleses saem ao sol do meio-dia,
> Os japoneses não se importam, os chineses não ousariam
> Hindus e argentinos dormem pesadamente das doze à uma
> Mas ingleses detestam a sesta.

O HAKA

Há muitas formas diferentes de *Haka* – e a maioria das tribos maoris tem a própria variação, algumas dançadas com armas, outras não. A famosa *Haka* da seleção de rúgbi da Nova Zelândia é chamada de *Ka Mate*:

Uma introdução do líder lembra à equipe como conduzir a Haka:

Ringa pakia	Bata nas coxas
Uma tiraha	Estufe o peito
Turi Whatia	Dobre os joelhos
Hope whai ake	Baixe os quadris
Waewae takahia kia kino	Bata os pés o mais forte que puder

Então toda a equipe dança:

Ka mate! Ka mate!	É morte! É morte!
Ka ora! Ka ora!	É vida! É vida!
Ka mate! Ka mate!	É morte! É morte!
Ka ora! Ka ora!	É vida! É vida!
Tenei te tangata puhuru huru	Foi o homem acima de mim
Nana i tiki mai	Que me permitiu viver
Whakawhiti te ra	Enquanto eu subo
A hupane, kaupane	Passo a passo
A hupane, kaupane	Passo a passo
Whiti te ra!	Rumo à luz do sol!

A primeira *Haka* dançada além-mar em uma partida de rúgbi foi obra da equipe da Nova Zelândia durante uma excursão pela Grã-Bretanha em 1888–9.
(*Há várias traduções diferentes para essa Haka, algumas mais belicosas que outras.*)

— ALGUNS ESPORTES, JOGOS E ÓCIO NO CINEMA —

❦ ARTES MARCIAIS: *Karatê Kid* ['deslize, deslize']; filmes da *Pantera Cor-de--rosa* ['Não agora, Cato']; *Operação Dragão etc.* ❦ AUTOMOBILISMO: *Grand prix; Quem não corre, voa* ['Deus é nosso copiloto!']; *Genevieve; Dias de trovão; Juventude transviada* ❦ BEISEBOL: *Sorte no amor; Um homem fora de série; A última batalha de um jogador; Corra que a polícia vem aí; Ídolo, amante e herói; Sujou... Chegaram os Bears; Campo dos sonhos* ❦ BASQUETE: *Homens brancos não enterram* ['ou você mata ou é morto']; *Basquete Blues; Momentos decisivos* ❦ BILHAR: *Desafio à corrupção* ['Esta é minha mesa, cara']; *A cor do dinheiro* ❦ BOLICHE: *O grande Lebowski* ['Você não engana Jesus!']; *Kingpin, estes loucos reis do boliche; Negócio arriscado* ❦ BOXE: *Touro indomável; Rocky* (ver também p.35); *Quando éramos reis* ['Eu sou péssimo; eu deixo os remédios doentes']; *Ali* ❦ CARTAS: *O jogo de emoções; A mesa do Diabo* ['Você só pagou para ver. Aulas são por fora']; *Um golpe de mestre; Cartas na mesa; Música do acaso* ❦ CICLISMO: *Bellevue Rendezvous; Correndo pela vitória; Competição de destinos* ❦ CORRIDA: *Carruagens de fogo; Loneliness of the Long Distance Runner* ❦ CORRIDAS DE CAVALOS: *A mocidade é assim mesmo; O risco de uma decisão; Alma de herói; O grande golpe* ❦ CRÍQUETE: *O mensageiro; Laggar; Raffles; Doce ilusão* ❦ ESGRIMA: *Scaramouche; Hamlet; 007 – Um novo dia para morrer* ❦ ESQUI: *Os amantes do perigo; Hot Dog* ❦ FUTEBOL: *Amor em jogo; Driblando o destino; Fuga para a vitória* (ver p.131); *Gregory's Girls* ❦ GOLFE: *O jogo da paixão; Clube dos pilantras* ['Não serei *caddy* a vida inteira. Eu vou para a escola de lavador de carros no outono']; *007 contra Goldfinger* (ver p.120); *Um maluco no golfe* ❦ HÓQUEI NO GELO: *Slapshot; Os Superpatos; Miracle; Morte súbita* ❦ IATISMO: *Swallows and Amazons; A faca na água; Terror a bordo; Piratas do Caribe; Uma aventura na África* ❦ JOGO DA VELHA: *Jogos de guerra* ['Saudações, professor Falken'] ❦ NIM: (ver p.150) ❦ ÓCIO: *Curtindo a vida adoidado* ['Como alguém poderia esperar que eu fosse à escola em um dia como este?']; *Os desajustados; O balconista; Condenados pelo vício; Slackers; Esperando Godot; Trainspotting; Cortina de fumaça; Alta fidelidade; Barrados no shopping; Swingers* ['Você gosta tanto do dinheiro, e sequer o conhece!'] ❦ OLIMPISMO: *Olympia; Devagar, não corra* ❦ PESCA: *Nada é para sempre; Tubarão* ['Você vai precisar de um barco maior']; *Peixe grande; Dois velhos rabugentos* ❦ ROLLERBALL: *Rollerball* ❦ RÚGBI: *This Sporting Life; Up 'n' Under* ❦ SINUCA: *Um jogo de vida ou morte* ['O que você está fazendo com esse taco na mão, garoto?'] ❦ SURFE: *Alegrias de verão; Amargo reencontro; Caçadores de emoção; A onda dos sonhos; Crystal Voyager* ❦ TÊNIS: *As férias do Sr. Hulot; Escola de idiotas; A mulher absoluta; Os excêntricos Tenenbaums; Pacto sinistro; O jogo do amor* ❦ TÊNIS DE MESA: *Forrest Gump; Ping Pong* ❦ TIRO: *O declínio dos anos dourados; Assassinato em Gosford Park* ❦ TIRO COM ARCO: *Amargo pesadelo* ['Maldição, você toca um banjo horrível'] ❦ XADREZ: *Casablanca; Blade Runner* (ver p.119); *A arte do crime; O sétimo selo;[†] Harry Potter e a pedra filosofal* ❦ [†] O filme apresenta jogos disputados com a Morte. ❦

—— KIPLING SOBRE TIROS NO DIA DE NATAL ——

'Paz na Terra aos homens de boa vontade!'
Assim saudamos o dia de Natal.
Ó cristão, carregue sua arma e então,
Ó cristão, saia e mate!

— RUDYARD KIPLING, *An Almanac of Twelve Sports*, 1898

— QUEBRA-CABEÇAS COM PALITOS DE FÓSFORO —

[a] retire 8 para formar 2 quadrados

[c] remova 9 e não deixe nenhum

[e] remova 6 para deixar 2 quadrados

[f] remova 5 para deixar 3 quadrados

[b] mova 4 para formar 3 quadrados

[d] remova 3 para formar 3 quadrados

[g] mova 3 para deixar 4 quadrados

[Veja as soluções na p. 160]

—— COMPARAÇÃO DE PONTUAÇÃO NO RÚGBI ——

RUGBY UNION†		RUGBY LEAGUE	
Try	*pontos* 5	Try	*pontos* 4
Gol	3	Gol	1
Gol de falta	3	Gol de falta	2
Conversão	2	Conversão	2

† Os pontos foram introduzidos em 1886, na época em que um *try* valia 1, um *try* convertido (um gol) valia 3 e se não fossem marcados gols a partida seria declarada empatada. Em 1892 um *try* valia 2 pontos, penalidades e conversões valiam 3, e gols e *field goals* valiam 4. Em 1905 o *try* valia 3 pontos, a conversão foi reduzida para 2 e o *field goal* foi eliminado. Em 1973 o *try* valia 4 pontos, e em 1992, 5 pontos.

──────────── PROVAS DE ────────────

Nomenclatura adotada em eventos realizados no Brasil.

PROVAS DE ALTO RISCO	PROVAS DE CRONÔMETRO
montaria sem estribo	*laço em dupla*
sela americana	*laço de bezerro*
montaria em touro	*prova dos três tambores*

──────────── BOCEJO ────────────

[uma] exibição grotesca de uma boca se abrindo ao máximo,
associada a uma contração do diafragma em grau incomum,
expandindo o pulmão para uma inalação excessiva de ar,
ajudada por uma elevação espasmódica da laringe bloqueando
a normalmente suave passagem nasal.

— DR. FRANCIS SCHILLER, *J Hist Neurosci*, 2002;11:393

Ao contrário da crença popular, parece provável que o bocejo (ou oscitação) tenha pouca relação com qualquer necessidade extra de oxigênio nos pulmões. Nós não apenas respiramos muito mais oxigênio do que precisamos (por isso o ar expirado contém oxigênio), como também imagens de ultrassom indicam que fetos bocejam *in utero*, embora seu pulmão não seja ventilado. Uma pesquisa de Steven Provine *et al.* [*BehavNeuralBiol* 1987; 48:382-93] sobre bocejos em ambientes com alto nível de CO_2 e O_2 indicou que o bocejo 'não atende a uma função respiratória primária, e que bocejo e respiração são provocados por diferentes quadros internos e controlados por mecanismos distintos'. Então, se não bocejamos devido à chamada 'fome de ar', por que bocejamos? Foram apresentadas muitas teorias: que o bocejo aumenta o poder do cérebro; que ajuda a aumentar nosso sentido do olfato; que bocejamos quando estamos completamente entediados, e assim por diante. De fato, se o porquê de bocejarmos é um mistério, da mesma forma é o contágio do bocejo. O ditado francês 'um bocejo produz sete' é fruto de estudos científicos, bem como da observação descontraída. (Aristóteles observou que 'assim como um burro urina quando vê ou ouve outro burro urinar, o homem boceja ao ver outra pessoa bocejar'.) Aparentemente o bocejo pode ser contagioso se o vemos, ouvimos, pensamos nele ou lemos sobre ele. Uma pesquisa, também de Provine, sugere que ao menos um quarto das pessoas que lerem este verbete irá bocejar por causa dele. Estudos recentes abordaram a ligação entre bocejo e empatia, e questionaram se o bocejo é um ato mais social e paralinguístico que uma necessidade fisiológica – embora praticamente todos os que escreveram sobre o tema observem como é altamente satisfatório e agradável se espreguiçar e dar um grande bocejo.

CASTANHA

A castanha-da-índia é a noz não comestível do castanheiro – árvore de um grupo (especialmente a *Aesculus hippocastanum*) que tem folhas de cinco folíolos (digitadas) e flores em panículos cônicos. Como todo garoto em idade escolar sabe, as castanhas podem ser furadas com um ferro, e presas a um pedaço de barbante ou cadarço que é passado pelo orifício resultante. Os jogadores então trocam golpes alternados na castanha do adversário, e o jogo termina quando uma das castanhas é esmagada ou quando o recreio chega ao fim. Como seria de esperar em um jogo tão informal, há muitas variações. Em algumas cada jogador tem direito a três golpes consecutivos. Outra variação é que se a castanha-alvo for atingida e der uma volta completa (360°), movimento conhecido como MOINHO DE VENTO, quem golpeou tem direito a um tiro extra. Dependendo das regras locais, se as cordas das duas castanhas se enrolarem durante o jogo, o primeiro jogador a gritar 'LAÇO' ganha um lance livre. A pontuação no jogo é cumulativa; uma nova castanha é sempre uma 'um' e sua pontuação aumenta somando a pontuação dos adversários derrotados.[†] Por exemplo, se uma 'um' esmaga outra 'um', se torna uma 'dois'. Se uma 'seis' destrói uma 'três', se torna uma 'nove', e assim por diante. Por causa desse método histórico único de pontuação, e como a maioria das castanhas costuma ser mantida de uma temporada para outra, a absoluta honestidade ao declarar a verdadeira pontuação de uma castanha é pré--requisito do jogo limpo. Há uma série de técnicas (frequentemente fraudulentas) para dar têmpera às castanhas. Variam de CONGELAMENTO ou TOSTADURA a banhos de VINAGRE ou ESTOCAGEM em locais escuros e quentes (a gaveta de meias parece ser o lugar ideal). Em consequência dessas técnicas bastante dúbias, a maioria das competições organizadas de castanhas insiste na participação apenas de 'castanhas domésticas'. Importante: se a castanha cair no chão durante uma partida, ela poderá ser pisada e esmagada pelo adversário, a não ser que se grite 'SEM PISÕES'.

[†] Uma escola de pensamento alega que castanhas novas deveriam começar como 'zero'. Essa afirmação absurda e irresponsável zomba do tradicional método de pontuação. Pois se a pontuação de uma castanha aumenta com o acréscimo da pontuação da castanha derrotada, uma 'quatro' derrotando uma 'zero' virgem continuará a ser uma 'quatro', quando, na verdade, a lógica determina que ela, por direito, se torne uma 'cinco'.

BOXE FRANCÊS

La boxe française era uma modalidade de luta criada por Charles Lecour na década de 1830, em que o uso dos pés era admitido e estimulado.

—— ALGUMAS MORTES ESPORTIVAS NOTÁVEIS ——

Carlos VIII da França, enquanto caminhava em uma quadra de tênis com sua rainha, bateu a cabeça em uma porta baixa, e isso causou sua morte.

Bradley Stone, Jimmy Murray e Steve Watt são apenas alguns dos que morreram em consequência de ferimentos de boxe. Muitos outros, com destaque para Michael Watson e Gerald McClellan, ficaram com graves deficiências.

Thomas Grice foi morto quando, durante um jogo de futebol em 1897, tropeçou, caiu e perfurou o estômago com a fivela de seu cinto.

Em 1925, o jóquei Frank Hayes sofreu um ataque cardíaco durante uma prova em Belmont Park, Nova York, e já estava morto quando ele e seu cavalo (Sweet Kiss) cruzaram a linha de chegada em primeiro lugar.

O capitão Matthew Webb, primeiro homem a cruzar a nado o Canal da Mancha (ver p.59), morreu na tentativa insana de nadar nas corredeiras e redemoinhos abaixo das cataratas do Niágara. Um colunista escreveu sobre a tentativa de Webb que 'sua meta não era o suicídio, mas dinheiro e fama eterna'.

Frederick Lewis, príncipe de Gales, morreu após ter sido atingido na cabeça por uma bola de críquete.

Luís VI morreu quando seu cavalo tropeçou após um porco passar correndo debaixo dele.

Guilherme III morreu após seu cavalo ter tropeçado no túnel de terra feito por uma toupeira.

José Cándido se tornou o primeiro *matador* morto na arena ao ser chifrado pelo touro 'Coriano', em 23 de junho de 1771, em Puerto de Santa María.

Em 1977, Bing Crosby morreu (embora de insuficiência cardíaca) enquanto jogava golfe em Madri.

Após ter feito o gol contra que deu a vitória aos Estados Unidos sobre a Colômbia em uma partida da Copa do Mundo de 1994, Andrés Escobar foi fuzilado do lado de fora de uma boate de Medellín. O rapaz de 27 anos teria recebido seis tiros de um pistoleiro que o provocara gritando 'Gol! Gol!'.

Rod Hull, o comediante britânico por trás (ou dentro) da marionete Emu, morreu aos 63 anos de idade enquanto assistia pela televisão à partida de quartas de final da Liga dos Campeões entre Manchester United e Inter de Milão, em 1999. Irritado com a recepção ruim, Hull subiu no telhado de seu chalé em West Sussex para ajustar a antena, mas escorregou e morreu.

Mal 'King Kong' Kirk (1936–87) morreu em decorrência de um ataque cardíaco provavelmente induzido por ter sido esmagado sob o corpo de 165 quilos do lutador profissional de luta livre Big Daddy (ver p.50).

– ALGUMAS MORTES ESPORTIVAS NOTÁVEIS cont. –

Ivan IV, 'o Terrível', (1530–84) morreu jogando xadrez.

Diz-se que o primeiro-ministro Palmerston (1784–1865) morreu fazendo sexo com uma empregada em sua mesa de bilhar.

Durante o campeonato mundial de esgrima de 1982, em Roma, o atleta soviético Vladimir Smirnov morreu quando o florete do adversário se quebrou e perfurou a máscara de Smirnov.

Uma holandesa foi morta por um golfinho jogador de bola em um parque aquático na Holanda. O golfinho jogou a bola para a plateia, como parte de seu número, mas ela acertou a cabeça da mulher, derrubando-a escada abaixo.

Presumivelmente várias mortes esportivas foram evitadas com a vitória da seleção italiana na Copa do Mundo de 1938. Antes do jogo, Mussolini teria enviado à equipe um telegrama no qual se lia simplesmente: 'Vencer ou morrer.'

Esteban Domeño se tornou a primeira baixa registrada na corrida de touros de Pamplona (ver p.20) ao ser chifrado, em 1924.

Em 1984, Jim Fixx, autor de *Complete Book of Running* e da continuação *Jim Fixx's Second Book of Running*, morreu de ataque cardíaco enquanto corria.

Aparentemente, todos os 11 membros do time de futebol *Bena Tshadi*, da República do Congo, morreram após ter sido atingidos por um raio em 1998. Surgiram suspeitas de feitiçaria e de armação quando se constatou que todo o time contra o qual eles estavam jogando no momento, *Basangana*, sobreviveu.

George Summers foi o primeiro homem a ser morto por uma bola de críquete durante uma partida de alto nível. Quando ele estava batendo para os Notts em um jogo contra a equipe do MCC, em 1870, um arremesso de J. Platts arrancou um cascalho que atingiu sua têmpora.

Durante a prova 24 Horas de Le Mans de 1955, o Mercedes de Pierre Levegh atingiu o público, matando Levegh e mais de 80 espectadores. Em sinal de respeito, a Mercedes-Benz se retirou de todas as categorias do automobilismo, para retornar apenas em 1987.

Em fevereiro de 2002, uma partida de bridge realizada em Oslo para comemorar o 75º aniversário de Willy Seljelid ganhou tons surreais quando todos os quatro jogadores foram encontrados mortos a bala. A polícia norueguesa encontrou um rifle de caça calibre .22 na cena do crime, mas não conseguiu definir qual dos quatro jogadores era o assassino.

EQUIPE DE PIT STOP NA FÓRMULA 1

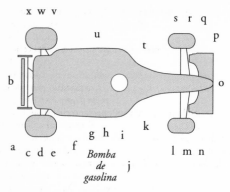

Bomba de gasolina

[a] Operador do extintor de incêndio · [b] Operador do macaco traseiro ·
[c] Colocador de roda · [d] Operador da pistola pneumática · [e] Retirador
de roda e operador de compressor de partida · [f] Controlador · [g] Homem
que protege contra borrifos de gasolina · [h] Segurador de bico de mangueira ·
[i] Segurador de mangueira · [j] Programador da bomba de combustível ·
[k] Limpador de duto de refrigeração · [l] Retirador de roda · [m] Operador
de pistola · [n] Colocador de roda e regulador de spoiler · [o] Operador de
macaco dianteiro · [p] Sinalizador · [q] Colocador de roda e regulador
de spoiler · [r] Operador de pistola · [s] Retirador de roda · [t] Limpador de
viseira e de duto de refrigeração · [u] Responsável pela sinalização ao piloto ·
[v] Colocador de roda · [w] Operador de pistola · [x] Retirador de roda.

'PLAYBOY' X OLÍMPICOS

Apesar dos protestos, a edição de setembro de 2004 da *Playboy* apresentou
mulheres olímpicas em poses reveladoras. Arny Freytag, o mais experiente
fotógrafo da revista, assegurou que 'esse material mostra realmente a beleza
natural e física (...) Muitos espaços abertos à oportunidade de captar as atletas em movimento – sei que os leitores vão gostar disso'. As oito atletas eram:

Amy Acuff.......... *salto em altura*	Haley Cope .. *100m nado de costas*
Ineta Radevica . *salto triplo em dist.*	Susan Tiedtke-Green . *salto. em dist.*
Zhanna Block *100m*	Fanni Juhasz .... *salto com vara*
Mary Sauer.......... *salto com vara*	Katie Vermeulen†.......... *1.500m*

† Katie Vermeulen teria dito: 'Isso não é sobre peitos e bundas (...) É sobre força e beleza
e mulheres que são fortes, que estão posando para representar sua força em seus esportes
(...) Então, para mim, não é apenas uma expressão do que fazemos, mas de quem somos.'

— GLOSSÁRIO DE TERMOS DE CAÇA À RAPOSA —

All on ...o que o responsável pela matilha diz quando os cães estão prontos
Babble ....cão que *fala* quando não há cheiro nem presa
Biddable...cão obediente
Blank......................não achar uma raposa em uma cobertura (*covert*)
Brush...o rabo da raposa
Burning ....cheiro muito forte
Burst ....a primeira parte de uma corrida
Cap...taxa paga para passar o dia caçando
Checking.....quando cães param após perder o cheiro ou uma interrupção
Chop..matar uma raposa adormecida
Covert ..madeira, arbusto ou arvoredo usado como esconderijo pela raposa
Cut a voluntary ....cair do cavalo durante a caçada
Doubling the horn.......toque de corneta muito rápido para reunir os cães
Earth......................................esconderijo de uma raposa sob a terra
Fadge....................................cavalgada lenta, entre o passo e o trote
Gone to ground ....quando a raposa se refugia numa toca (*earth*)
Holla ....chamada vocal para avisar os caçadores sobre a presa
Jink...virada rápida feita pela presa
Line ....avanço e direção do cão na caça à presa
Make a pack ....contar os cães
Mask....................................a cabeça ou a cara da raposa
MFH............................Mestre de Cães de Caça à Raposa
Moving off.....deixar o ponto de encontro para começar um dia de caçada
Music ....o som produzido pelos cães quando correm
Mute...cão que não *fala*
Rate†...punir ou repreender um cão
Riot† ....quando os cães perseguem a presa errada (cervo, coelho etc.)
Scarlet‡...............................o nome 'certo' para um paletó vermelho
Sinking..raposa exausta
Speak.......................quando um cão late ao seguir a *linha*
Stern..a cauda do cão
Tantivy...cavalgar a pleno galope
Unentered..........................cão jovem que ainda não caçou
View ....ver uma raposa
Walking out ....exercício diário dos cães
Whelps...filhotes de cães
Whipper-in ....empregado de caça que é o braço-direito do MFH

† Quando os cães *riot*, eles são *rated* de acordo com a presa que estão perseguindo: Cervo – 'evite lombo'; lebre ou coelho – 'evite lebre'; pássaros – 'evite asas'; carros – 'evite motor'.
‡ Muitos usam o termo 'pink' para definir o *scarlet* de caça. Isso parece não derivar de nenhuma associação de cores, mas de um alfaiate do século XIX chamado Pink (ou Pinque), que aparentemente fazia os melhores trajes para caça. Contudo, como não foi encontrado nenhum registro de um alfaiate chamado Pink, é provável que ele nunca tenha existido.

OLIMPÍADAS NA ERA MODERNA

Estado Anfitriã		Ano	Nº de esportes	Atletas homens	Atletas mulheres	Nº de países	Ouros da GB	Pratas da GB	Bronzes da GB	Mais outros	Nº
V	Atenas	1896	9	241	0	14	2	3	2	Estados Unidos	11
V	Paris	1900	18	975	22	24	15	6	9	França	25
V	St. Louis	1904	17	639	6	12	1	1	0	Estados Unidos	77
V	Londres	1908	22	1.971	37	22	56	51	38	Grã-Bretanha	56
V	Estocolmo	1912	14	2.359	48	28	10	15	16	Estados Unidos	25
V	Antuérpia	1920	22	2.561	65	29	16	15	13	Estados Unidos	41
V	Paris	1924	17	2.954	135	44	9	13	12	Estados Unidos	45
I	Chamonix	1924	6	247	11	16	1	1	2	Noruega	4
V	Amsterdã	1928	14	2.606	277	46	3	10	7	Estados Unidos	22
I	St. Moritz	1928	4	438	26	25	0	0	1	Noruega	6
V	Los Angeles	1932	14	1.206	126	37	4	7	5	Estados Unidos	41
I	Lake Placid	1932	4	231	21	17	0	0	0	Estados Unidos	6
V	Berlim	1936	19	3.632	331	49	4	7	3	Alemanha	33
I	Garmisch-Partenkirchen	1936	4	566	80	28	1	1	1	Noruega	7
V	Londres	1948	17	3.714	390	59	3	14	6	Estados Unidos	38
I	St. Moritz	1948	4	592	77	28	0	0	2	Noruega	4
V	Helsinque	1952	17	4.436	519	69	1	2	8	Estados Unidos	40
I	Oslo	1952	4	585	109	30	1	0	0	Noruega	7
V	Melbourne	1956	17	2.938	376	72	6	7	11	URSS	37
I	Cortina d'Ampezzo	1956	4	687	134	32	0	0	0	URSS	7
V	Roma	1960	17	4.727	611	83	2	6	12	URSS	43
I	Squaw Valley	1960	4	521	144	30	0	0	0	URSS	7

Estação	Anfitriã	Ano	Nº de esportes	Atletas homens	Atletas mulheres	Nº de países	Ouros da GB	Pratas da GB	Bronzes da GB	Mais ouros	Nº
V	Tóquio	1964	19	4.473	678	93	4	12	2	Estados Unidos	36
I	Innsbruck	1964	6	892	199	36	1	0	0	URSS	11
V	Cidade do México	1968	20	4.735	781	112	5	5	3	Estados Unidos	45
I	Grenoble	1968	6	947	211	37	0	0	0	Noruega	6
V	Munique	1972	23	6.075	1.059	121	4	5	9	URSS	50
I	Saporo	1972	6	801	205	35	0	0	0	URSS	8
V	Montreal	1976	21	4.824	1.260	92	3	5	5	URSS	49
I	Innsbruck	1976	6	892	231	37	1	0	0	URSS	13
V	Moscou	1980	21	4.064	1.115	80	5	7	9	URSS	80
I	Lake Placid	1980	6	840	232	37	1	0	0	URSS	10
V	Los Angeles	1984	23	5.263	1.566	140	5	11	21	Estados Unidos	83
I	Sarajevo	1984	6	998	274	49	1	0	0	Alemanha	9
V	Seul	1988	25	6.197	2.194	159	5	10	9	URSS	55
I	Calgary	1988	6	1.122	301	57	0	0	0	URSS	11
V	Barcelona	1992	28	6652	2.704	169	5	3	12	Ex-URSS	45
I	Alberville	1992	7	1.313	488	64	0	0	0	Alemanha	10
I	Lillehammer	1994	6	1.215	522	67	0	0	2	Rússia	11
V	Atlanta	1996	26	6.806	3.512	197	1	8	6	Estados Unidos	44
I	Nagano	1998	7	1.389	787	72	0	0	1	Alemanha	12
V	Sidney	2000	28	6.582	4.069	199	11	10	7	Estados Unidos	40
I	Salt Lake City	2002	7	1.513	886	77	1	0	1	Noruega	13
V	Atenas	2004	28	nd	nd	202	9	9	12	Estados Unidos	35

———— SONO E ESPASMOS ————

ESPASMOS HIPNAGÓGICOS	ESPASMOS HIPNOPÔMPICOS
Espasmos que ocorrem exatamente no momento de adormecer.	Espasmos que ocorrem exatamente no momento de despertar.

——— DERBIES, CLÁSSICOS E CONFRONTOS ———

Norte da Escócia...... *Curling, a 'Grande Partida'*[1] .... Sul da Escócia
Comuns................ *cabo de guerra parlamentar* .... Lordes
Real Madrid............... *futebol, 'el classico'*................... Barcelona
Rangers................... *futebol, a 'Old Firm'*[2] .... Celtics
Gentlemen.............. *críquete pré-profissional*.................. Players
Labergorce.......................... *polo* .... Black Bears
Big Daddy[3] ...... *luta livre profissional anos 1970 e 80*.. Giant Haystacks
Hibs................. *futebol, o 'Derby de Edinburgo'*.............. Hearts
Oxford......................... *'a' regata* .... Cambridge
Eton .... *críquete escolar*[4] .... Harrow
Kingussie...................... *shinty*.................... Newtonmore
Cannock.................... *hóquei na grama* .... Reading
Kasparov.............. *xadrez homem x computador*[5] .. Deep Blue da IBM
Stockport...................... *lacrosse*.......................... Cheadle
Bristol........................... *gamão*..................... Birmingham
Londres.......................... *esgrima*...... Restante da Grã-Bretanha
Malory London.............. *vôlei masculino*......... London Docklands
Inglaterra .... *críquete 'as Cinzas'*[6]................... Austrália
Air India.................... *Kabaddi (Índia)* .... Maharashtra Ind.
Jesters................... *Eton fives*.............. Eton Fives Assoc.
Cork........................... *hurling*...................... Tipperary

[1] A Grande Partida do *Royal Caledonian Curling Club* não tem acontecido desde 1979, porque invernos sucessivos foram fracos demais para produzir a grossa camada de gelo de 20cm necessária nos lagos. [2] O diretor técnico do Celtics, Tommy Burns, disse que 'a *Old Firm* é a única partida no mundo em que os técnicos têm de acalmar os entrevistadores'. [3] O verdadeiro nome de Big Daddy *e* de seu pai era Shirley Crabtree. [4] Eton e Harrow têm uma antiga rivalidade, e as instituições, como as Casas dos Comuns e dos Lordes, costumam se referir à rival como 'o outro lugar' (cf. Tio Monty em *Withnail & I*). As duas escolas têm o azul como cor: Harrow é azul-escura, cor partilhada com Oxford; Eton é azul-clara, a mesma de Cambridge desde a primeira corrida de barcos (ver p.19), quando uma concessão de fitas foi usada para identificar sua tripulação. A primeira partida Eton x Harrow em Lord's foi disputada em 1805. [5] Gary Kasparov enfrentou o supercomputador Deep Blue da IBM pela primeira vez em 1996 e, mudando de estratégia no meio do jogo, derrotou a máquina por 4 a 2. Em uma revanche, dois anos depois, um Deep Blue modificado derrotou Kasparov por 3½ a 2½. Em 1998 o Deep Blue foi o primeiro computador a conseguir o grau de Grande Mestre. [6] Ver p.45. [Para a antiga rivalidade do *Palio* de Siena, ver pp.86–87]

PONTUAÇÃO DO BRIDGE RODADO

TRUNFOS	*vaza acima de 6 contratada e feita*		SEM TRUNFOS
♣ ♦ ♠ ♥		1ª vaza	Outros
20…20…30…30	Não dobrado	40	30
40…40…60…60	Dobrado	80	60
80…80..120..120	Redobrado	160	120

O primeiro a marcar 100 pontos abaixo da linha em uma ou mais mãos ganha

HONRA	BÔNUS DE RUBBER
Acima da linha por um dos lados	Rubber de dois games………700
4 AKQJT em lance de naipe…100	Rubber de três games……….500
5 AKQJT em lance de naipe…150	Rubber não acabado – 1 game.300
4 ases em lance sem trunfo …150	Parcial………………………100

PRÊMIOS – *marcados acima da linha para o Declarante*

Fazendo contrato dobrado……50	Fazendo contrato redobrado ..100

NÃO VULNERÁVEL	*vazas a mais*	VULNERÁVEL
Valor da vaza………………	Não dobrado	Valor da vaza
100	Dobrado	200
200	Redobrado	400
500	Bônus Small Slam (aposta de 6)	750
1000	Bônus Grand Slam (aposta de 7)	1500

NÃO VULNERÁVEL			*pena por contrato não cumprido*		VULNERÁVEL		
Não dobrado	*Dobrado*	*Redobrado*	*Vazas a menos*	*Não dobrado*	*Dobrado*	*Redobrado*
50	100	200	um	100	200	400
100	300	600	dois	200	500	1000
150	500	1000	três	300	800	1600
200	800	1600	quatro	400	1100	2200
250	1100	2200	cinco	500	1400	2800
300	1400	2800	seis	600	1700	3400

SPHAIRISTIKE

Sphairistike era o nome pelo qual o tênis costumava ser conhecido. O jogo foi inventado pelo major Walter Clopton Wingfield, que o apresentou em 1873 em uma festa de Natal em Nantclywd, País de Gales. O tênis se valeu muito dos jogos já existentes Tênis Real e *badminton*, e era jogado em uma quadra esférica com uma rede a 12 centímetros de altura. O major batizou o jogo de *Sphairistike* (jogo de bola em grego), mas o chamava afetuosamente de *Sticky*. Com o aumento da popularidade, esse nome impronunciável foi abandonado em troca de algo menos tolo, e surgiu 'tênis de grama'.

—— THATCHER SOBRE OS JOVENS OCIOSOS ——

Pessoas jovens não devem ficar ociosas. É muito ruim para elas.

— MARGARET THATCHER, *The Times*, 1984

— BANCO IMOBILIÁRIO: PROPRIEDADES (IN)DESEJÁVEIS —

As propriedades mais baratas e mais caras em tabuleiros de Banco Imobiliário:

mais barata	*tabuleiro*	*mais cara*
Old Kent Road	Londres	Mayfair
Ronda de Valencia	Espanha	Paseo del Prado
Jardim de pneus	Springfield	Mansão Burns
Badstrasse	Alemanha	Schlossallee
Casa de infância em Tupelo	Elvis	Graceland
Boulevard de Belleville	França	Rue de la Paix
S.S. Swine Trek	Muppets	Pântano de Caco, o sapo
Dorpsstraat Ons Dorp	Holanda	Kalverstraat Amsterdam
Cabana de Yoda	Jornada nas Estrelas	Palácio Imperial
Chur Kornplatz	Suíça	Zürich – Paradelplatz
Musgrave Road	África do Sul	Eloff Street
Mediterranean Avenue	EUA [padrão]	Boardwalk
ΟΔΟΣ ΚΥΨΕΛΗΣ	Grécia	ΛΕΩΦΟΡΟΣ ΑΜΑΛΙΑΣ
Fazenda da tia Ema	O Mágico de Oz	Lar Doce Lar
South Street Seaport	Nova York (1994)	Trump Tower
Central Park	Nova York (1996)	The Plaza
Bronx	Nova York (1998)	Quinta Avenida
Västerlanggatan	Suécia	Norrmalmstorg
Alameda do Ciclista	Batman e Robin	Mansão Wayne
Finsensvej	Dinamarca	Nytorv
Todd Street	Austrália	Kings Avenue
Campo Grande	Portugal	Rossio
Crumlin	Irlanda	Shrewsbury Road
Cheung Chau	Hong Kong (1997)	The Peak
Chep Lap Kok	Hong Kong (2000)	Victoria Peak
Carroça Cigana Coberta	Scooby Doo	A Torre do Terror
Presidente Vargas	Brasil	Morumbi

—— BASTÕES DE REVEZAMENTO ——

Especificações de bastões para provas de revezamento em Jogos Olímpicos:
Comprimento 28–30 cm · Circunferência 12–13 cm · Peso > 50g

REGRAS DO CRÍQUETE FRANCÊS DE GOWERS-ROUND

O polímata do esporte 'Sir' Wilfred Gowers-Round[†] (1845–1955) concebeu um conjunto de regras para o críquete francês, declarando: *'é um jogo versátil. Pode ser jogado com qualquer número de pessoas, de qualquer idade ou sexo, em praticamente qualquer terreno. Contudo, só porque o jogo é informal (e agradável de jogar), não significa que possa ser jogado com inadmissível desrespeito à ordem, à justiça e ao bom-senso.'*

O primeiro batedor é apontado por consenso ou ao girar o bastão e escolher aquele para o qual ele aponte. O batedor indica o primeiro arremessador, e pode colocá-lo onde quiser no campo. O batedor deve ficar no centro do campo, com os pés juntos. Ele não pode mover os pés durante seus *innings* [ver variação PURLEY]. O chamado 'Olhar Flamingo' é estritamente proibido em todo o jogo. Um batedor pode ser excluído de cinco formas: [i] *Bowled Out* · quando a bola toca qualquer ponto do pé, tornozelo ou perna (abaixo do joelho), incluindo roupas. [ii] *Caught Out* · quando um interceptador pega a bola diretamente a partir do taco, do punho, ou da mão ou braço do batedor (abaixo do pulso[‡]). [iii] *One Hand One Bounce* · como em [ii], mas podendo a bola rebater no chão uma vez, desde que seja apanhada claramente com apenas uma das mãos. [iv] *Hit Ball Twice.* [v] *Six and Out* · se a bola for arremessada sobre um limite definido (como uma cerca).

Nenhum batedor pode ser retirado em circunstância alguma na primeira bola de seu *inning*.

Interceptadores podem ficar onde quiserem – o mais perto que ousarem do batedor. Arremessadores devem arremessar a bola de onde a colocaram. Meias curvas, bolas roladas ao longo do piso e arremessos diretos são todos permitidos. É permitido simular o arremesso; contudo, o uso excessivo da finta é malvisto no jogo social. A bola pode ser arremessada assim que aterrissar, mas os arremessadores podem ser excluídos caso se considere que arremessaram de forma agressiva.

Quando um batedor está fora, o guarda-metas assume o bastão [ver variação ROSS].

Não há marcação de pontos. O batedor que teve os *innings* mais longos é considerado vencedor.

A variação PURLEY permite ao batedor girar o pé no mesmo ponto, de modo a ver o arremessador, mas *apenas* se ele tiver acertado a bola. A variação SIR DENNIS permite aos interceptadores passar a bola entre si antes de arremessar, de modo a enganar o batedor. A variação ROSS permite a alternância de batedores, o que cria um jogo informal.

[†] Sir Wilfred era tão entusiasmado, que o jogo era conhecido como '*Gowers-Rounders*'.
[‡] Em resposta à teoria da perna da excursão inglesa em 1932–3 (ver p.121).

'SWING LOW'

Swing Low, Sweet Chariot é um *spiritual* afro-americano cujas verdadeiras origens, assim como as de muitas outras canções surgidas durante a escravidão, se perderam na tradição oral ao longo dos anos. Contudo, em 1917 o músico americano Henry 'Harry' Thacker Burleigh (1866–1949) começou a preservar alguns desses *spirituals*, e é com seus arranjos que a maioria das pessoas (especialmente torcedores de rúgbi) está acostumada:

Swing low, sweet chariot,
Coming for to carry me home,
Swing low, sweet chariot,
Coming for to carry me home.

I looked over Jordan, and what I did see?
Coming for to carry me home,
A band of angels coming after me,
Coming for to carry me home.

If you get there before I do,
Coming for to carry me home,
Tell all my friends I'm coming to,
Coming for to carry me home.

I'm sometimes up and sometimes down,
Coming for to carry me home,
But still my soul feels heavenly bound,
Coming for to carry me home.

ESPORTE E DIVISÃO SOCIAL

No caso de quase todos os esportes em que podemos pensar,
do tênis ao bilhar, do golfe ao boliche, foi a realeza ou a aristocracia
que originalmente desenvolveu, codificou e popularizou o esporte,
depois do quê ele foi tomado pelas classes inferiores.

— MARK ARCHER, *The Spectator*, 1996

SETROPSE (ESPORTES DE TRÁS PARA A FRENTE)

Há alguns esportes em que os praticantes basicamente se movem para trás:

Natação (nado de costas) · Salto em altura (o Fosbury Flop[†])
Cabo de guerra · Remo · Rapel

Há vários outros em que o movimento para trás tem papel central: esgrima, hóquei no gelo, lançamento de peso, ginástica, mergulho e *curling* (*varrição*).

[†] O Fosbury Flop foi inventado pelo atleta americano Richard 'Dick' Douglas Fosbury (n.1947) como uma nova abordagem revolucionária do salto em altura. Fosbury rejeitou a tradicional técnica *straddle*, de aproximação de frente para a barra, e criou um método no qual os saltadores faziam um arco de costas sobre a barra. Após Fosbury ter conquistado uma medalha de ouro durante os Jogos Olímpicos de 1968, no México, o seu salto deselegante foi rapidamente adotado como método-padrão para o salto em altura.

A CRESTA RUN

A Cresta é como uma mulher, mas com esta diferença cínica:
amá-la uma vez é amá-la sempre.
— LORD BRABAZON OF TARA

Situada na encantadora cidade de St. Moritz, no vale Engadine, na Suíça, a Cresta Run é um tobogã de 1.207m percorrido por corredores deitados com o rosto para baixo em pesados *skeletons* de metal a poucos centímetros do gelo. Há dois pontos de partida: 'Topo', para o corredor experiente, e um pouco mais baixo, 'Junção', para os nervosos. As velocidades podem chegar a 130km/h, e o bom piloto se verá 156 metros mais perto do nível do mar em menos de 1 minuto. Pouco pode ser feito na condução, embora os corredores prendam peças de metal nas botas para ajudar a influenciar a velocidade e a direção. Como a pista é escavada na neve a cada temporada, a estrutura e as dimensões exatas variam todos os anos, garantindo que a Cresta Run seja um dos últimos grandes esportes amadores do mundo.

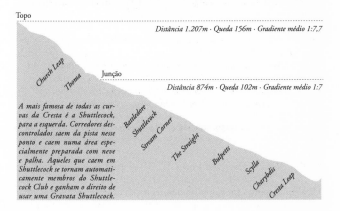

Topo

Distância 1.207m · Queda 156m · Gradiente médio 1:7,7

Church Leap

Thoma

Junção

Distância 874m · Queda 102m · Gradiente médio 1:7

A mais famosa de todas as curvas da Cresta é a Shuttlecock, para a esquerda. Corredores descontrolados saem da pista nesse ponto e caem numa área especialmente preparada com neve e palha. Aqueles que caem em Shuttlecock se tornam automaticamente membros do Shuttlecock Club e ganham o direito de usar uma Gravata Shuttlecock.

Battledore

Shuttlecock

Stream Corner

The Straight

Bulpetts

Scylla

Charybdis

Cresta Leap

A Cresta é uma amante poderosa e atraente.
Ela não vai tolerar tolices quando você estiver tentando conhecê-la, e muitos
e severos são os castigos que ela inflige a seus mais ardentes pretendentes.
— SIR JAMES COATS

Até hoje, apenas quatro corredores perderam a vida na Cresta Run, mas, como seria de esperar, ferimentos leves e graves são comuns. Antes que novatos sejam autorizados a descer a pista, todos precisam comparecer à famosa 'palestra da morte', na qual os perigos da Cresta são graficamente ilustrados com algumas das radiografias feitas de corredores acidentados.

STREAKING

A década de 1970 testemunhou uma explosão do *streaking*, atividade definida de forma esplêndida pelo jornal *The Times* em 1973 como 'uma corrida, despido, entre dois pontos imprevisíveis'. Embora a relação entre nudez humana e esforço esportivo remonte à época dos gregos, os sociólogos ligam a popularidade do *streaking* entre os espectadores aos *campi* universitários norte--americanos, que em certos momentos pareciam superlotados de estudantes em pelo. (Em 1974, o decano da Universidade Estadual de Memphis ficou tão exasperado com os estudantes nus, que decretou que alunos dos primeiros anos apanha-dos fazendo *streaking* seriam 'suspensos'.) Embora tenha enfrentado problemas, o *streaking* ainda é popular e poucos acontecimentos esportivos parecem a salvo do exibicionista esforçado: a corrida de touros de Pamplona, na Espanha; um torneio internacional de nado sincronizado e o campeonato mundial de sinuca já foram alvo. Entre os mais famosos *streakers* britânicos estão Erica Roe (a 'rainha do *streaking*'), Michael O'Brian (foto), Michael Angelow e Mark Roberts, que tem mais de 300 participações em seu cinturão inexistente, incluindo Wimbledon, o Grand National e mesmo Crufts.

O surto de *streaking* em *campi* inspirou o disco inovador *The Streak*, de Ray Stevens, que foi gravado em 1974 e vendeu mais de um milhão de cópias. No mesmo ano, o sem dúvida mais famoso *streaking* não esportivo foi realizado por Robert Opal, de 33 anos, que passeou a pé atrás de David Niven na cerimônia de entrega do Oscar. Há uma polêmica sobre a exposição do mamilo de Janet Jackson por Justin Timberlake durante o show de intervalo do Superbowl 38 poder ou não ser classificada como *streaking* parcial.

APELIDOS DE CARTAS ESPECÍFICAS

4♣	A cama do diabo	**A♣**	A ferradura; pé de filhote
9♦	A maldição da Escócia	**4♣**	A maldição do México
K♥	O rei suicida	**A♠**	*Old Frizzle* (ver p.62)
J♥ & **J♠**	Valetes caolhos	**K♦**	O homem com o machado

A origem desses apelidos varia de óbvia a obscura. O 'rei suicida', por exemplo, é chamado assim porque a imagem francesa tradicional o representa prestes a empalar a si mesmo com a espada. Há uma explicação semelhante para 'o homem com o machado' e 'os valetes caolhos'. Mas existe uma grande controvérsia acerca do nome 'a maldição da Escócia', que já foi vinculado à rainha Maria, à Batalha de Culloden, ao Massacre de Glencoe, a papistas e à forma da cruz de S. André. Francis Grose alegou em *The Antiquities of Scotland* (1789) que 'diamantes (...) implicam realeza (...) e há muitas eras foi notado que todo nono rei da Escócia é um tirano e uma maldição para o país'.

STAKHANOV E OBLOMOV

Alexei Grigorievich STAKHANOV (1906–77) foi um mineiro de carvão soviético famoso nos anos 1930 por seu trabalho duro e sua eficiência. (Sua produtividade chegava a ser 14 vezes superior ao padrão.) Em uma tentativa de estimular o mesmo resultado, Stalin promoveu o 'stakhanovismo' como modelo para outros operários . Em 1978, a cidade natal de Stakhanov, Sergo, foi rebatizada em homenagem a ele.

Ilya Ilyitch OBLOMOV, criado pelo escritor Ivan Goncharov (1812–91), era um homem tão preguiçoso que não conseguiu se levantar da cama nas primeiras 150 páginas do romance homônimo. Nasceu desse personagem esplêndido a ideia de 'oblomovismo', um estado de inércia langorosa, que seria endêmica na *intelligentsia* russa do século XIX, produzida por uma ociosidade comum ao caráter eslavo.

GRAND-SLAM DO TÊNIS, PISOS E MESES

Aberto da Austrália (*emborrachado*) [janeiro]
Roland Garros (*saibro*) [maio/junho] · Wimbledon (*grama*) [junho/julho]
US Open (*cimento*) [agosto/setembro]

A INVENÇÃO DA REDE

A rede, um dos símbolos universais do ócio, é considerada uma invenção dos ameríndios da região amazônica, onde era conhecida pelo termo tupi *ini*. Na sua confecção costumam ser empregadas, além do algodão, outras fibras têxteis, como o tucum, o buriti e o carauá. Segundo Luís da Câmara Cascudo, 'depois da farinha de mandioca, a rede foi o primeiro elemento de adaptação, de acomodação e de conquista do português'.

> 'Certas redes são feitas à maneira de rendas ou de redes de pescar, outras têm as malhas serradas como brim grosso. Têm elas em geral quatro, cinco ou seis pés de comprimento por uma braça mais ou menos de largura; trazem nas pontas argolas por onde passam as cordas com que os selvagens as amarram a dois postes fronteiriços, expressamente fincados no chão para esse fim. E carregam os selvagens consigo essas redes tanto nas guerras quanto nas caçadas ou pescarias à beira-mar ou nos rios, suspendendo-as aos troncos das árvores para dormirem. (...) Que tais redes são cômodas o dirão todos aqueles que as experimentaram, principalmente no verão.'

— JEAN DE LÉRY, *Viagem à Terra do Brasil*, 1558

— CORES DAS CAMISETAS DO TOUR DE FRANCE —

Cor da camiseta	Introdução	Dada por
Amarela	1919	menor tempo geral
Verde	1953	maior número de pontos
Branca com bolas vermelhas	1975	melhor em subidas
Branca	1975	melhor jovem ciclista (≤25)

A camiseta amarela tem essa cor porque o primeiro patrocinador da corrida – o jornal *L'Auto* – era impresso em papel amarelo. A camisa vermelha e branca deve sua origem ao patrocinador Poulain, de chocolates; e a verde à loja de jardinagem Belle Jardinier. Entre 1984 e 1988 era dada uma camiseta vermelha ao líder da competição de *sprint* intermediário. Em cada etapa é dado um Prêmio de Competitividade ao ciclista que se esforçou mais e demonstrou maior espírito esportivo. O ganhador do Prêmio de Competitividade utiliza um dorsal especial azul com sua numeração na etapa seguinte; e o piloto mais agressivo e combativo em cada etapa usa um dorsal especial vermelho.

— COMEDORES DE LÓTUS —

Os comedores de lótus do mito grego vivem nos bancos de areia móveis das águas perto de Cartago. Lá eles comem o fruto do lótus – não os nenúfares do Egito, mas plantas com raízes no mundo inferior que extraem água do rio Lete. Essa água tinha o poder de remover todas as lembranças. E os lotófagos viviam em um estado de ócio paralisado e de transe, sem lembranças do passado nem conceito de futuro, sem desejo de retornar à sua terra natal. Quando Odisseu navegou de Troia para casa, ancorou num desses bancos de areia e mandou três homens para explorar a terra. Eles descobriram os lotófagos, comeram suas frutas e caíram num estado de paralisia indolente antes de serem arrastados aos prantos de volta para o barco, implorando para serem deixados para trás. No poema de 1933 'Canção dos Comedores de Lótus', Alfred Tennyson se valeu do mito para investigar o desejo de rejeitar o prosaico mundo de esforço em prol de um estado mais relaxado de ócio:

> Façamos um juramento e nos mantenhamos fiéis a ele,
> Na vazia terra do lótus viver e nos reclinar
> Nos montes como deuses, juntos, ignorando a humanidade.

— SENTIDO DA CORRIDA EM HIPÓDROMOS —

PARA A ESQUERDA	PARA A DIREITA
Aintree · Ayr · Cheltenham	Ascot · Beverley · Exeter
Chepstow · Chester · Doncaster	Goodwood · Huntingdon
Epsom · Haydock · Newbury	Kempton · Newmarket · Ripon
Newcastle · Uttoxeter · York	Salisbury · Sandown · Taunton

─────── NADO NO CANAL DA MANCHA ───────

A primeira travessia a nado do Canal da Mancha foi realizada pelo capitão Matthew Webb, que, coberto com uma camada de óleo de boto, levou 21 horas e 45 minutos para nadar de Dover a Calais em 24–5 de agosto de 1875. (Apenas doze dias antes Webb tinha sido obrigado pelo tempo ruim a desistir de uma tentativa, se queixando de que havia 'muito mar à frente'.) Webb fez um nado de peito lento e ritmado (20 por minuto) e se fortaleceu com caldo de carne, cerveja, café e – para suportar o ferimento provocado por uma estrela-do-mar amarela – até mesmo conhaque. Esta foi a rota de Webb:

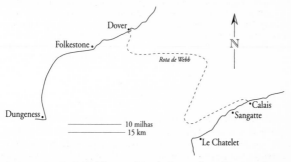

Após a travessia de Webb, o prefeito de Dover disse: 'Não acredito que no futuro tal feito será conseguido por qualquer outra pessoa.' Mas, embora tenham sido necessários 36 anos para que o feito fosse repetido, desde então uma multidão fez a travessia, usando diversos estilos: nado de costas, *crawl* e o curioso nado Trudgeon (batida de pernas em tesoura com braços projetados para a frente alternadamente). Abaixo, alguns recordes:

data	feito (DIREÇÃO DA TRAVESSIA)	nome	tempo
1875...	*1ª travessia solo* (I–F)............	M. Webb [RU]	21:45
1911...	*2ª travessia solo* (I–F)............	T.W. Burgess [RU]	22:35
1923...	*1ª travessia solo* (F–I)............	Enrico Tiraboschi [ITA].....	16:33
1926...	*1ª travessia solo feminina* (F–I)..	Gertrude Ederle [EUA]......	14:39
1934...	*1º a bater Webb* (I–F)	E. Temme [RU]	15:34
1951...	*1ª travessia solo feminina* (I–F)..	Florence Chadwick [EUA] ..	16:19
1961...	*1ª travessia ida e volta*.........	Antonio Abertondo [ARG]..	43:10
1978...	*1ª trav. sub-16* [13a 233d] (I–F)	Karl Beniston [RU]..........	12:25
1981...	*1ª travessia tripla* (I–F–I–F)......	Jon Erikson [EUA]	38:27
1982...	*1ª travessia de um chileno* (I–F).	Victor Contraras [CHI]	12:02
1989...	*1ª travessia borboleta* (I–F)......	Vicki Keith [CAN]	23:33

Jabez Wolffe, de Glasgow, tentou cruzar o Canal 22 vezes e fracassou em todas as oportunidades. Em 1911, um tocador de gaita de foles o acompanhou de barco para marcar o ritmo, sem sucesso. Para o curioso, trágico e irônico afogamento do Capitão Matthew Webb, ver p.44.

— AS REGRAS QUEENSBERRY PARA O BOXE · 1864 —

1. Ser uma luta de boxe de pé justa em um ringue de 7 metros ou o tamanho mais próximo deste possível.
2. Não são permitidos agarrões ou abraços.
3. Os assaltos terão 3 minutos de duração e 1 minuto de intervalo.
4. Se um dos homens cair por fraqueza ou outra razão, deve se levantar sem ajuda, tendo 10 segundos para fazê-lo; o outro homem permanece em seu canto enquanto isso. Quando o homem caído estiver sobre os próprios pés, o assalto será reiniciado e continuado até o fim dos 3 minutos. Se um homem não conseguir se erguer nos 10 segundos concedidos, estará a cargo do árbitro dar a vitória ao outro homem.
5. Um homem pendurado nas cordas em estado indefeso com os dedos do pé acima do piso deve ser considerado derrubado.
6. Segundos ou outras pessoas não são admitidos no ringue durante os assaltos.
7. Caso o combate seja interrompido por alguma interferência inevitável, o árbitro deve assim que possível escolher hora e local para que seja encerrado, de modo que a luta seja vencida ou perdida, a não ser que os segundos do homem concordem em desistir.
8. As luvas devem ser luvas de boxe de tamanho adequado, da melhor qualidade e novas.

9. Caso uma luva se rasgue ou saia, deve ser substituída para atender ao juiz.
10. Um homem de joelhos é considerado no chão, e se golpeado é considerado vencedor.
11. Não são permitidos sapatos ou botas com saltos.
12. Em todas as outras questões a luta será regida pelas regras revisadas da London Prize Ring.

O marquês de Queensberry estava convencido (não sem razão) de que seu filho lorde Alfred Douglas ('Bosie') tinha um romance com Oscar Wilde. No dia 18 de fevereiro de 1895 o marquês deixou um cartão no Albermarle Club, em Londres, endereçado: 'A Oscar Wilde, que age como somdomita.' Foi esse cartão com erro de ortografia que levou Wilde a seu desastroso processo contra Queensberry por calúnia e difamação. Na quarta-feira 3 de abril de 1895, primeiro dia do julgamento, Wilde testemunhou sobre uma discussão que tivera com o marquês. Queensberry: 'Se eu flagrar você e meu filho juntos em um restaurante público, irei surrá-lo.' Wilde: 'Não conheço as Regras Queensberry, mas a regra Oscar Wilde é atirar à primeira vista.' O julgamento foi anulado, e, após um segundo julgamento, o próprio Wilde foi condenado por indecência e sentenciado a dois anos de prisão com trabalhos forçados.

GOLDEN FERRETS

Uma GOLDEN FERRET é uma tacada de golfe em que a bola cai no buraco arremessada a partir de uma depressão.

O 'SWOOSH' DA NIKE

Juntamente com os 'arcos dourados' do McDonald's, a garrafa de 'curva dinâmica' da Coca-Cola, a cruz e o crescente, o *swoosh* da Nike é um dos ícones mais facilmente reconhecíveis do planeta. O símbolo foi criado em 1971 pela então estudante de design Carolyn Davidson, que cobrou 35 dólares pelo trabalho.

O fundador da Nike, Phil Knight, escolheu o desenho na última hora, dizendo: 'Não adoro isso, mas vou me acostumar.' Doze anos depois, quando a marca era conhecida em todo o mundo, Davidson recebeu ações da Nike em reconhecimento à sua contribuição a uma das marcas mais influentes de todos os tempos.

Niké era a deusa alada grega da vitória, que ela personifica. Era filha do titã Palas com Estige (o rio do mundo subterrâneo), e irmã de Zelo (rivalidade), Crato (poder) e Bia (força). Durante a batalha travada entre os deuses e os titãs, acabou se aliando aos deuses, pelo que foi recompensada por Zeus. Embora Niké tivesse poucos poderes, ela era considerada auspiciosa pelos deuses com os quais ia para o campo de batalha.

VITÓRIA DE PIRRO, DESESPERO FOCENSE etc

❦ Uma VITÓRIA DE PIRRO é aquela obtida a um custo tal que mal pode ser distinguida de uma derrota. O termo aparentemente deriva do absurdo belicismo de Pirro (319–272 a.C.), rei de Épiro, que derrotou o exército romano duas vezes, mas com baixas tão terríveis que um comentarista escreveu: 'Mais uma vitória dessas e estamos perdidos.' ❦ Uma VITÓRIA CADMEIA é aquela que imediatamente coloca o vitorioso em posição desvantajosa. Cadmo era o filho mais novo do rei fenício Agenor. Cadmo matou um monstro que protegia uma fonte de água potável e lançou seus dentes pelo solo como sementes. Imediatamente um exército de soldados brotou do ponto onde os dentes tinham sido jogados e lançou um ataque. ❦ DESESPERO FOCENSE descreve uma situação em que a vitória é arrancada de forma inesperada das garras da derrota. A frase deriva dos homens da Fócida, que eram submetidos a ataques constantes de seus vizinhos por ousarem cultivar os campos sagrados de Delfos. O desespero dos focenses era tal que eles decidiram pôr fim à vida em um sacrifício humano em massa. Contudo, exatamente antes de subirem à pira na qual suas mulheres e filhos tinham sido amarrados, os focenses fizeram um último ataque a seus inimigos e os derrotaram. ❦ SILÊNCIO AMICLEU descreve uma reticência em falar que leva à derrota. Deriva dos habitantes de Amiclas, que estavam tão exasperados com constantes boatos de um ataque espartano que promulgaram um decreto proibindo qualquer um de discutir o assunto. Quando os espartanos realmente fizeram a invasão, os amicleus estavam assustados demais para mencionar isso e a cidade foi tomada rapidamente. ❦

———————— CITIUS · ALTIUS · FORTIUS ————————

Abaixo estão resultados olímpicos ao longo do século XX. Embora muitos fatores devam ser considerados (cronometragem, equipamento etc.), eles de fato sugerem que estamos mais rápidos, mais altos e mais fortes (ver p.71).

Masculino	1900	1920	1960	1980	1992	2000
100 metros....	11:0s.....	10·8s....	10·3s.....	10·2s......	9·9s........	9·8s
800 metros...	2m01s...	1m53s...	1m46s....	1m45s ...	1m43s....	1m45s
Maratona.....	2h59m...	2h32m...	2h15m ...	2h11m...	2h13m...	2h10m
Salto em dist..	7·185m...	7·15m...	8·12m ...	8·54m...	8·67m....	8·55m
Disco.........	36·04m..	44·68m .	59·18m...	66·64m...	65·12m...	69·30m

Feminino	1900	1920	1960	1980	1992	2000
100 metros......	ⁿ⁄ₐ.........	ⁿ⁄ₐ......	11·0s	11·0s.....	10·8s......	10·7s
800 metros......	ⁿ⁄ₐ.........	ⁿ⁄ₐ......	2m4s....	1m53s ...	1m55s....	1m56s
Salto em dist.....	ⁿ⁄ₐ.........	ⁿ⁄ₐ......	6·37m...	7·06m....	7·14m....	6·99m
Disco (ver p.124) .	ⁿ⁄ₐ.........	ⁿ⁄ₐ......	55·10m...	69·96m .	70·06m...	68·40m

—— IMPOSTO DO BARALHO E O ÁS DE ESPADAS ——

Embora certas taxas sobre cartas fossem cobradas pela monarquia britânica no século XVII, apenas em 1711 começou a ser cobrado sistematicamente um imposto sobre o baralho. Inicialmente o imposto foi fixado em seis pence por baralho; aumentou para 1 xelim em 1756, 1,6 em 1776, 2 xelins em 1789 e 2,6 em 1801. Em uma tentativa de impedir fraudes e reduzir a queda no faturamento, o imposto foi reduzido para 1 xelim em 1828, e em 1862 caiu para 3 pence, permanecendo nesse patamar até ser finalmente abolido, em 1960. Ao longo dos anos foram utilizados muitos métodos para comprovar o pagamento do imposto. As embalagens podiam ser seladas ou estampadas, assim como os rótulos que costumavam lacrar os baralhos. A partir de 1712, uma das cartas do baralho também passou a ser marcada com um selo manual. Em 1765 a marcação à mão foi substituída pela impressão de um Ás de Espadas oficial pelo Departamento de Impressão, incorporando a cota de armas real. Em 1828 o Ás de Espadas Fiscal (popularmente conhecido como '*Old Frizzle*') foi produzido pelo Departamento de Impressão para indicar que tinha sido pago o imposto reduzido (1 xelim). Em 1862 o sistema foi novamente modificado. Os fabricantes de cartas passaram a ser obrigados a usar embalagens oficiais de 3 pence, mas eram livres para utilizar qualquer desenho em seus Ases de Espadas. A maioria escolheu manter os elaborados projetos de Ás de Espadas que continuam a existir na maioria dos baralhos vendidos hoje.

SHOVE HA'PENNY

Feito em madeira ou ardósia polida, o tabuleiro de *shove ha'penny* normalmente tem a aparência apresentada aqui, com nove LEITOS de aproximadamente 3cm de largura. Os jogadores se revezam arremessando cinco moedas da extremidade da área de partida semicircular; o objetivo final é colocar três moedas em cada LEITO. Se um jogador (ou equipe) tem mais de 3 moedas num LEITO, as moedas excedentes são atribuídas ao adversário. Para que uma moeda seja válida tem de estar totalmente dentro de seu LEITO, sem tocar a linha divisória. O número de moedas DEITADAS é somado após cada rodada de cinco moedas, já que parte da habilidade do jogador está em ser capaz de empurrar moedas das linhas para os leitos tocando-as com outras moedas. Os pontos são marcados com giz nas laterais do tabuleiro. Uma versão do jogo permite que as moedas que pontuam sejam resgatadas e jogadas novamente no final de cada mão, possibilitando novas rodadas de pontuação. Abaixo, alguns dos termos e expressões tradicionais de *shove ha'penny*.

Colocar três moedas em um LEITO em uma única mão......... *Sargento*
As 5 moedas em LEITOS em uma única mão. *Sargento-major; Gold watch*
Não marcar nada em uma mão .... *Nineteener; Vazio*
Buscar LEITOS no final do tabuleiro..................... *Subindo a escada*
Jogador que ocupa LEITOS em ordem .... *Subindo com estilo*
Moeda muito perto da linha .... *Whiskery; Shadey; Tight up; Na Lama*
LEITO mais distante do tabuleiro..... *Londres, quarto de Annie* (ver p.89)
Ter uma moeda em um LEITO .... *Lance Jaks up*
Ter duas moedas em um LEITO............................. *Cabos na área*

CHALANAS

Chalanas são barcos estreitos, de fundo chato, ideais para águas rasas, que no passado eram usados por esportistas como plataforma de pesca ou caça de aves. As chalanas são impulsionadas por alavancagem com varas longas e finas firmadas no leito. Embora ainda sejam usadas em muitos lugares, incluindo Stratford e trechos do Tâmisa, são mais comuns no Cam, em Cambridge, e no Cherwell, em Oxford. Tradicionalmente, as chalanas de Oxford têm uma extremidade chata e outra arredondada, e os que as impulsionam ficam na traseira arredondada. As chalanas de Cambridge têm as duas extremidades chatas, e o impulso é dado por pessoas de pé sobre a plataforma chata da parte de trás.

OS ÍNDIOS E A CORRIDA DE TORAS

A corrida de toras, atividade tradicional entre os índios xavantes e outras tribos do grupo jê, no Brasil, antecede uma cerimônia religiosa chamada *wai'á*. Depois de cortarem dois troncos de buriti de aproximadamente 90cm de comprimento, os índios se dividem em dois 'times', que devem combinar, de modo equilibrado, homens jovens e idosos. As toras são carregadas por duplas, nas quais vão se revezando os integrantes de cada grupo, sem que a corrida seja interrompida. Na chegada, uma das toras é largada no pátio onde se reúnem os mais velhos; a outra, no local frequentado pelos mais jovens. A prova obedece a um princípio pouco convencional em se tratando de uma corrida. Curiosamente, nela não importa quem chega em primeiro lugar, mas sim o contrário: os dois grupos devem correr de modo que as toras não se afastem muito uma da outra.

ANATOMIA E TAMANHO DE UM ANZOL

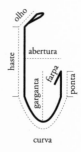

Como padrão, o tamanho de um anzol deve ser proporcional ao peixe que você deseja fisgar – embora nem sempre seja assim. Tencas, por exemplo, têm bocas mais delicadas e menores do que seria de esperar em função de seu tamanho. Um enorme número de sistemas de medição foi criado ao longo dos anos (Redditch, Kendal, Carlisle, Pennell, para citar apenas alguns). Contudo, como os anzóis têm muitas variações de tamanho, forma e ângulo, um sistema comum de avaliação continua impossível. Em geral, porém, quanto menor o número do anzol, maior ele é.

OPERAÇÃO

A brincadeira de tabuleiro *Jogo da operação* põe à prova a destreza demonstrada pelos jogadores enquanto eles desempenham tarefas cirúrgicas pelas quais são pagos. Na relação abaixo, 12 modalidades de operações, com as respectivas remunerações cobradas por médicos e especialistas:

Médico $$$	Operação	Especialista $$$	Médico	Operação	Especialista
500	Pança	1000	200	Cãibra	400
350	Coração partido	700	200	Dor de cotovelo	400
250	Borboletas no estômago	500	150	Cãibra de escritor	300
250	Água no joelho	500	150	Pomo de adão	300
300	Osso da sorte	600	100	Torção de tornozelo	200
			100	Costela magra	200
			100	Canela	200

PONTUAÇÃO DA CANASTRA

4, 5, 6, 7	5	**Canastra suja** (com curinguinha do mesmo naipe)	300
8, 9, 10	10	**Canastra com curinga** (se já tiver uma canastra limpa)	500
Valete, Dama e Rei	10	**Canastra de ás limpa** (com sete ases sem curinga)	1000
Curinguinhas (os 2)	10		
Ás	15		
Curingas	20	**Canastra de ás** (com curinguinha)	300
3 pretos	0		
3 vermelhos	100		
Canastra limpa (sem curinga)	500	*[Regras da Confederação Brasileira de Canastra]*	

BOTÕES

Botões, assim como bolas de gude, eram considerados ferramentas tradicionais para jogos infantis, embora o guia de 1859 *Games and Sports for Young Boys* alertasse: 'ouvimos algumas pessoas dizerem que jogos com botões não deveriam ser permitidos, já que eles estimulam os garotos a arrancar botões de suas roupas e prendê-los em fios.' (Felizmente, os autores do manual descartam essa objeção como sendo 'tola e desonesta'.) Aparentemente as crianças costumavam classificar assim seus botões:

SINKEYS · botões de metal com uma pequena depressão no centro e furos para passar a linha. Um SINKEY liso vale *um*. Um SINKEY com letras nas margens, *dois*.

SHANKEYS · botões presos por um gancho ou uma volta de arame. O valor de um SHANKEY depende de seu tamanho e beleza: se for do tipo pequeno e liso, é *um*; se for mais decorado, é *dois*.

LIBRÉ · botões com brasões ou letras usados por empregados de libré. Um LIBRÉ pequeno é *três*; um LIBRÉ grande é *quatro*, a não ser que tenha uma borda elegante, quando é um *seis*. De bronze ou com cabeças de raposa (etc.) também são *seis*.

A maioria dos jogos é disputada com *uns* – valores maiores são usados como meio de trocar capital. *São utilizados apenas botões de metal.*

Um jogo de botão clássico é *Lançar na linha*. Uma linha de 60 centímetros é traçada no chão e, a partir de uma distância estabelecida, os jogadores 'batem' alternadamente (a ordem é determinada pela proximidade dos botões da linha). O primeiro jogador lança então dois botões, pretendendo que eles fiquem o mais perto possível da linha, sem cruzá-la. Os outros jogadores se sucedem. Depois que todos jogaram, o jogador cujo botão está mais perto da linha fica com todos os botões que a ultrapassaram; os outros botões são jogados para cima, e ele fica com os que caem de cabeça para baixo. Os botões restantes são divididos igualmente.

—— PROGRAMAÇÃO ANTIÓCIO DE FRANKLIN ——

Benjamin Franklin (1706–90) era um inimigo declarado do ócio. 'Os problemas nascem da ociosidade, e a desgraça surge do repouso desnecessário', escreveu ele, garantindo que 'a preguiça, como a ferrugem, consome as coisas mais rapidamente do que elas se gastam pelo trabalho, enquanto a chave usada está sempre nova'. Num esforço para maximizar o uso do tempo, Franklin levava um livreto com um 'plano de uso' para um dia comum:

MANHÃ Pergunta. *O que vou fazer de bom hoje?*	5 6 7	*Levantar-me, lavar-me e me dirigir ao Bem Superior! Planejar as tarefas do dia e fazer a resolução do dia; seguir meus estudos e café da manhã.*
	8 9 10 11	TRABALHAR
MEIO-DIA	12 1	*Ler, examinar minhas contas e almoçar.*
	2 3 4 5	TRABALHAR
ENTARDECER Pergunta. *Que bem eu fiz neste dia?*	6 7 8 9	*Colocar as coisas no lugar. Jantar. Música, diversão ou conversação. Reflexão sobre o dia.*
NOITE	10 11 12 1 2 3 4	DORMIR

Franklin achava difícil seguir à risca essa programação, e observava que um homem que precisa interagir com outros não pode estruturar seu tempo do mesmo modo que outro que trabalhe sozinho. Contudo, concluiu que: 'embora nunca tivesse atingido a perfeição que tanto queria obter (...) Fui, graças a esse esforço, um homem melhor e mais feliz.'

SOBRE VITÓRIAS E DERROTAS

KNUTE ROCKNE · *técnico de futebol americano de origem norueguesa* · Mostre-me um perdedor bom e elegante e eu lhe mostrarei um fracassado.

IAN FLEMING · O ganho para o vencedor é, estranhamente, sempre menor que a perda para o perdedor.

TOMMY HITCHCOCK · *jogador de polo e aviador americano* · Perca como se gostasse disso; vença como se estivesse acostumado com isso.

HENRY 'RED' SANDERS · *técnico de futebol americano* · Claro, vencer não é tudo. É a única coisa.

ERNEST HEMINGWAY · Você faz a própria sorte (...) Sabe o que faz um bom perdedor? Prática.

VINCE LOMBARDI · Mostre-me um bom perdedor e eu lhe mostrarei um perdedor.

MACBETH: E se fracassarmos?
LADY MACBETH: Fracassaremos! Mas mantenha a coragem e não fracassaremos. [*Macbeth*, I.vii.]

ANÔNIMO · Quem desiste nunca vence. Quem vence nunca desiste.

RICHARD NIXON · *escrevendo ao senador Edward Kennedy após a* debacle *de Chappaquiddick em 1969* · O homem não está acabado quando é derrotado; ele está acabado quando desiste.

PETER MANDELSON · Bem, eles me subestimaram porque sou um lutador, nunca desisto.

MARIO PUZO · Mostre-me um apostador, e eu lhe mostrarei um perdedor; mostre-me um herói, e eu lhe mostrarei um cadáver.

CHRIS EVERT · No tênis, em última análise, você é um vencedor ou um perdedor. Você sabe exatamente onde está (...) Eu não preciso mais disso. Não preciso que minha felicidade, meu bem-estar, sejam baseados em ganhar e perder.

GALEAZZO CIANO · A vitória tem muitos pais, mas a derrota é órfã. (*A frase foi citada pelo presidente Kennedy depois do desastre da baía dos Porcos.*)

MARTINA NAVRATILOVA · O momento da vitória é curto demais para que se viva por ele e mais nada.

MAX BEERBOHM · Há muito a dizer em favor do fracasso. Ele é mais interessante que o sucesso.

LOUIS KRONENBERGER · A técnica da vitória é muito ordinária; os termos da vitória são muito ignóbeis; a manutenção da vitória é muito breve, e o fantasma do 'era' — hoje uma visão mais vergonhosa que triste — provoca arrepios mesmo em nossos momentos de glória.

SÊNECA · O sucesso não é sôfrego como pensam, mas insignificante. Por isso não satisfaz ninguém.

JEAN-PAUL SARTRE · Se uma vitória for contada em detalhes, não será possível distingui-la de uma derrota.

PATINS DE RODAS E ESPELHOS

Diz-se que o belga Joseph Merlin foi o primeiro a inventar patins de rodas, em 1760. Aparentemente Merlin usou seus patins em um baile de máscaras na Carlisle House, na Soho Square, Londres. Mas eram tão instáveis que ele destruiu um espelho avaliado em mais de 500 libras e se feriu gravemente.

POLO DE ELEFANTES

Não deveria surpreender que um esporte tão idiossincrático quanto o polo de elefantes tenha sido imaginado em um bar de St. Moritz por dois dedicados corredores da Cresta Run (ver p.55). Fruto da imaginação de Jim Edwards e do atleta olímpico de tobogã James Manclark, o polo de elefantes é regido pela Associação Mundial de Polo de Elefantes (WEPA, na sigla em inglês), que realiza seu torneio anual numa pista de pouso de grama junto ao Parque Nacional Real de Chitwan, no Nepal. Apesar das semelhanças entre o polo de elefantes e seu predecessor equestre, foram feitas modificações em função das diferenças inerentes entre cavalos e paquidermes:

O campo de polo de elefantes tem 120m × 70m (75% de um tradicional), com 4 jogadores de cada lado.

Embora o jogo costumasse ser disputado com bolas de futebol, os elefantes rapidamente desenvolveram uma paixão por pisar nas bolas até que elas explodissem. Hoje são utilizadas bolas-padrão de polo.

Cada elefante leva duas pessoas nas costas: o jogador que bate na bola e o *mahout* que conduz o elefante.

A partida é dividida em duas *chukkas* de 10 minutos, com um intervalo de 15 durante o qual elefantes e campos são trocados.

Para evitar o comportamento de rebanho, instintivo, mas perigoso, nenhum time pode ter mais de 3 elefantes na mesma metade do campo em nenhum momento.

É marcada uma falta se um elefante se deitar na frente do gol. Da mesma forma, é falta quando o elefante pega a bola com a tromba.

Os bastões têm entre 1,8m e 2,7m de comprimento, dependendo do tamanho do elefante, e possuem o malho tradicional.

Elefantes menores e ágeis são os preferidos no ataque, enquanto elefantas mais velhas costumam ser colocadas em posição defensiva perto do gol para intimidar competidores do sexo masculino.

Para garantir que os elefantes não sofram insolação, as partidas não são disputadas depois do meio-dia.

'Gandulas' removem montes de excremento, para evitar que as bolas fiquem presas ou excrementos sejam lançados ao ar pelos malhos.

BOLAS DE EFEITO NO CRÍQUETE

OFF-BREAK†	LEG-BREAK	GOOGLY‡
A bola é girada usando-se os dedos para torcê-la na direção de um batedor destro.	*A bola é girada usando-se o pulso para torcê-la para longe de um batedor destro.*	*A bola parte das costas da mão para se virar na direção do batedor destro.*

TOP-SPINNER	FLIPPER	LEFT-ARM
O leg-spinner muda a posição do pulso de modo que a bola parta reta e alta.	*Bola baixa, deslizante, 'escorregada' de entre os dedos e o polegar de um leg-spinner.*	*Spinnners canhotos ortodoxos giram a bola para longe de batedores destros.*

† A DOOSRA é o lançamento heterodoxo de Muttiah Muralitharan, do Sri Lanka, que se afasta de batedores destros. ‡ Também conhecida como WRONG 'UN ou BOSIE (em função de B. J. T. Bosanquet). A CHINAMAN é a versão do lançador canhoto da GOOGLY. Arthur Conan Doyle introduziu a SPEDEGUE'S DROPPER (num conto de mesmo nome), uma bola em *lob* de 7,5m que caía verticalmente nas pernas, aperfeiçoada por um professor que foi convocado para a seleção da Inglaterra e garantiu a vitória sobre os autralianos.

SIGNIFICADO DAS ARTES MARCIAIS

Arte marcial	*tradução*
AIDO	atacando a partir da bainha
AIKIDO	o caminho da harmonia
BAGUAZHANG	palmas de oito formas
BUDO	a trilha do guerreiro
BUGEI	as artes do guerreiro
HAPKIDO	caminho do poder coordenado
JEET KUNE DO	caminho do punho que intercepta
JUDO	o caminho nobre
JUJITSU	a técnica nobre
KARATE	o caminho da mão nua
KENDO	o caminho da espada
KENPO	o caminho do punho
KUNG FU	aquele que é muito habilidoso
NINJUTSU	arte da invisibilidade
TAEKWANDO	caminho das mãos e dos pés
TAI CHI	grande absoluto supremo

NADO SINCRONIZADO: DOLFOLINA

Dolfolina é apenas um dos movimentos de nado sincronizado da FINA:

*Nadadores sincronizados podem parecer bolinhos,
mas são cookies duros.*
— DEMMIE STATHOPLOS

O 'SHILL' E O 'PROP'

Na linguagem dos cassinos americanos, um SHILL (que recebe da Casa pagamento por hora) é um jogador que usa o dinheiro da Casa para aumentar o movimento jogando em mesas fracas. Qualquer dinheiro ganho é devolvido à Casa. Por outro lado, JOGADORES DE PROPOSIÇÃO, ou PROPS, usam seu próprio dinheiro (recebendo uma pequena remuneração), ficam com os lucros e dividem as perdas. Tanto SHILLS quanto PROPS quando necessário são transferidos de um jogo para outro. Em muitos cassinos há regras que determinam como SHILLS e PROPS podem jogar, e exigem que a Casa identifique os jogadores pagos caso isso seja pedido.

— ESPÍRITO OLÍMPICO: LEMA E JURAMENTOS —

Embora normalmente atribuído a Pierre de Coubertin (1863–1937), o primeiro presidente do Comitê Olímpico Internacional, o credo olímpico aparentemente foi inspirado em um sermão feito na catedral de St. Paul por Ethelbert Talbot, bispo da Pensilvânia, em 19 de julho de 1908.

O mais importante nos Jogos Olímpicos não é vencer, mas participar, assim como o mais importante na vida não é o triunfo, mas a luta. O fundamental não é ter conquistado, mas ter lutado bem.

De Coubertin também é responsável pelo lema olímpico:

CITIUS · ALTIUS · FORTIUS   *mais rápido · mais alto · mais forte*   (ver p.62)

Isso foi tomado por De Coubertin do pregador dominicano francês padre Henri Didon (1840–1900), sobre cuja porta o lema estava gravado. O Juramento Olímpico, instituído em 1920 e atualizado em 2000 para fazer referência à questão do *doping*, é feito em nome de todos os atletas por um integrante da equipe anfitriã. Segurando na ponta da bandeira de seu país, ele declara do púlpito, em frente aos porta-bandeiras dos outros países reunidos:

Em nome de todos os competidores, eu prometo que participaremos destes Jogos Olímpicos respeitando e seguindo as regras que os regem, nos comprometendo com um esporte sem doping e sem drogas, no verdadeiro espírito da esportividade, para a glória do esporte e a honra de nossas equipes.

Desde 1972 é feito um juramento, lido por um árbitro do país-sede:

Em nome de todos os juízes e fiscais, prometo que iremos arbitrar estes Jogos Olímpicos com completa imparcialidade, respeitando e seguindo as regras que os regem, no verdadeiro espírito da esportividade.

—— CÓDIGOS DE ALERTA EM WIMBLEDON ——

Um sistema numérico é usado em Wimbledon para alertar os encarregados de cobrir as quadras quando é esperada chuva ou tempo inclemente:

1 . . . . . de prontidão, junto à quadra, há preocupação de que possa chover
2 . . . . cobrir a quadra
3 . . . . inflar cobertura
4 . . . . desinflar cobertura (quando a chuva para)
5 . . . . descobrir quadra
6 . . . . preparar quadra para a partida

— LETRAS DE SCRABBLE AO REDOR DO MUNDO —

Peça	turco	francês	alemão	inglês	espanhol
	valor... nº	valor... nº	valor... nº	valor... nº	valor... nº
A	1.... 12	1..... 9	1..... 5	1..... 9	1.... 11
Ä	n/a.... n/a	n/a.... n/a	6..... 1	n/a.... n/a	n/a.... n/a
B	3..... 2	3..... 2	3..... 2	3..... 2	3..... 3
C	4..... 2	3..... 2	4..... 2	3..... 2	2..... 4
Ç	4..... 2	n/a.... n/a	n/a.... n/a	n/a.... n/a	n/a.... n/a
D	3..... 2	2..... 3	1..... 4	2..... 4	2..... 4
E	1..... 8	1.... 15	1.... 15	1.... 12	1.... 11
F	7..... 1	4..... 2	4..... 2	4..... 2	4..... 2
G	5..... 1	2..... 2	2..... 3	2..... 3	2..... 2
Ğ	8..... 1	n/a.... n/a	n/a.... n/a	n/a.... n/a	n/a.... n/a
H	5..... 1	4..... 2	2..... 4	4..... 2	4..... 2
I	2..... 4	1..... 8	1..... 6	1..... 9	1..... 6
İ	1..... 7	n/a.... n/a	n/a.... n/a	n/a.... n/a	n/a.... n/a
J	10.... 1	8..... 1	6..... 1	8..... 1	6..... 2
K	1..... 7	10.... 1	4..... 2	5..... 1	8..... 1
L	1..... 7	1..... 5	2..... 3	1..... 4	1..... 4
LL	n/a.... n/a	n/a.... n/a	n/a.... n/a	n/a.... n/a	8..... 1
M	2..... 4	2..... 3	3..... 4	3..... 2	3..... 3
N	1..... 5	1..... 6	1..... 9	1..... 6	1..... 5
Ñ	n/a.... n/a	n/a.... n/a	n/a.... n/a	n/a.... n/a	8..... 1
O	2..... 3	1..... 6	2..... 3	1..... 8	1..... 8
Ö	7..... 1	n/a.... n/a	8..... 1	n/a.... n/a	n/a.... n/a
P	5..... 1	3..... 2	4..... 1	3..... 2	3..... 2
Q	n/a.... n/a	8..... 1	10.... 1	10.... 1	8..... 1
R	1..... 6	1..... 6	1..... 6	1..... 6	1..... 4
RR	n/a.... n/a	n/a.... n/a	n/a.... n/a	n/a.... n/a	8..... 1
S	2..... 3	1..... 6	1..... 7	1..... 4	1..... 7
Ş	4..... 2	n/a.... n/a	n/a.... n/a	n/a.... n/a	n/a.... n/a
T	1..... 5	1..... 6	1..... 6	1..... 6	1..... 4
U	2..... 3	1..... 6	1..... 6	1..... 4	1..... 6
Ü	3..... 2	n/a.... n/a	6..... 1	n/a.... n/a	n/a.... n/a
V	7..... 1	4..... 2	6..... 1	4..... 2	4..... 2
W	n/a.... n/a	10.... 1	3..... 1	4..... 2	8..... 1
X	n/a.... n/a	10.... 1	8..... 1	8..... 1	8..... 1
Y	3..... 2	10.... 1	10.... 1	4..... 2	4..... 2
Z	4..... 2	10.... 1	3..... 1	10.... 1	10.... 1
Vazia	0..... 2	0..... 2	0..... 2	0..... 2	0..... 2
Total	n/a.. 100	n/a.. 102	n/a.. 102	n/a.. 100	n/a.. 100

Scrabble é um jogo de tabuleiro no qual se devem formar palavras a partir de letras dispostas como nas palavras cruzadas. Acima, os valores das letras.

—— CONDIÇÕES PARA CORRIDAS DE CAVALOS ——

pesada · macia · de boa a macia · boa · de boa a firme · firme · dura
(condições das pistas para todos os climas: *rápida, padrão, lenta*)

—————————— O VÍCIO DO JOGO ——————————

Abaixo, uma série de perguntas formuladas pelo grupo de apoio *Jogadores Anônimos*, que ajuda jogadores a lidar com o vício. Os mais compulsivos costumam responder 'sim' a pelo menos sete das seguintes perguntas:

Você rouba tempo do trabalho para jogar?
O jogo está tornando sua vida familiar infeliz?
O jogo está afetando sua reputação?
Você já sentiu remorso após jogar?
Você já jogou para conseguir dinheiro com o qual
pagar dívidas ou resolver problemas financeiros?
O jogo diminui sua ambição ou eficiência?
Após perder você sente que precisa voltar
o mais rápido possível, para recuperar o prejuízo?
Após vencer você sente uma forte necessidade
de voltar e ganhar mais?
Você com frequência joga até perder o último centavo?
Você já fez empréstimos para financiar o jogo?
Você já vendeu algo para financiar o jogo?
Você reluta em usar dinheiro de jogo para despesas comuns?
Você joga por mais tempo do que tinha planejado?
Você já jogou para fugir de preocupações ou problemas?
Você já cometeu ou pensou em cometer
atos ilegais para financiar o jogo?
O jogo faz com que você tenha dificuldade de dormir?
Discussões, desapontamentos ou frustrações
geram necessidade de jogar?
Você sente necessidade de comemorar algo
com algumas horas de jogo?
Você já pensou em suicídio como consequência de seu jogo?

———— W.G. GRACE E O ESPÍRITO ESPORTIVO ————

O jogador de críquete W.G. Grace é quase tão famoso por seu duvidoso *fair-play* quanto por sua habilidade. Certa vez, tendo perdido uma bola, ele se virou, pegou e substituiu o taco e declarou ao arremessador ultrajado: 'As pessoas vieram para me ver bater, não para vê-lo arremessar!'

- NOMENCLATURA ARCAICA DE TACOS DE GOLFE -

Há pouca correspondência entre os tacos de golfe modernos e os antigos, mas a lista abaixo serve como guia de quais comparações podem ser feitas:

Madeiras Nº 1.....De jogo, Driver	Nº 4............Jigger, Mashie Iron	
Nº 2........................Brassie	Nº 5.....................Mashie	
Nº 3........................Spoon	Nº 6 ....Spade Mashie	
Nº 4..........................Baffy	Nº 7 ....Mashie-Niblick	
	Nº 8..............Pitching Mashie	
Ferros Nº 1....Driving Iron, Cleek	Nº 9 ....Niblick, Baffing Spoon	
Nº 2...............Cleek, Midiron	PW/SW ....Wedge or Jigger	
Nº 3..................Mid-Mashie	Putter/Blank ....Putter	

O Brassie (ou Brassy) era um taco de madeira com uma cabeça coberta de latão (*brass*, em inglês). O Spoon tinha cabeça ligeiramente côncava, útil para dar tacadas altas para escapar de depressões. O Baffy era igualmente utilizado para tacadas altas, sendo descrito como um taco pequeno e rígido, com a cara voltada para trás. Cleeks (ou Cleques) eram tacos de vara longa e cara estreita para tacadas a distância. O Mashie era um taco-padrão usado para meia distância e tacadas altas – seu nome deriva de um termo antigo para o martelo de combate. O Niblick era originalmente um taco de madeira, posteriormente fabricado como ferro revestido, com a cara pequena. Durante a missão da *Apollo 14*, em 1971, Alan Shepard ajustou uma cabeça de ferro 8 (equivalente a um Pitching Mashie) a um 'instrumento de coleta de amostras lunares' e deu duas tacadas na Lua. Desde 1939 o número máximo de tacos que um jogador pode ter na bolsa é 14. Essa regra custou a Ian Woosnam uma punição de duas tacadas quando seu *caddie* Miles Byrne deixou um 15º taco – um taco de teste – na bolsa de Woosnam durante o Aberto de 2001 em Royal Lytham & St. Anne's.

———— ALGUMAS ISCAS DE FLY FISHING ————

Os melhores praticantes de Fly Fishing (pesca com mosca) gostam de fazer as suas próprias iscas. Eis algumas das iscas tradicionais mais elaboradas:

Açougueiro..........*rabo de pena vermelha, colar*[†] *de penas pretas de galo,*
asas de cálamo de pena de corvo

Zulu Negro[‡].............*corpo de penas pretas de avestruz e ouropel prata,*
colar de penas pretas de galo

Azul-prateado ....*corpo de ouropel prata, colar de penas azuis de papagaio,*
asas de penas tingidas de azul

Volteio.....*colar de penas pretas de galo, asas pretas, laterais de penas azuis*
de martim-pescador

Carvoeiro........................*corpo de lã preta, asas de pena de marreco,*
rabo de penas de faisão dourado

Perdiz galesa . *corpo de pele púrpura de foca, rabo de penas escuras de perdiz*

[†] O colar é feito de longas penas de pescoço, utilizadas para alterar a flutuabilidade.
[‡] Em certo momento as iscas Zulu Negro foram proibidas, por serem eficientes demais.

—— ALGUNS CIRCUITOS IMPORTANTES DA F1 ——

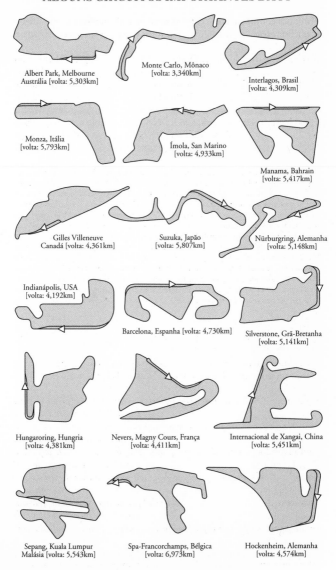

Albert Park, Melbourne
Austrália [volta: 5,303km]

Monte Carlo, Mônaco
[volta: 3,340km]

Interlagos, Brasil
[volta: 4,309km]

Monza, Itália
[volta: 5,793km]

Ímola, San Marino
[volta: 4,933km]

Manama, Bahrain
[volta: 5,417km]

Gilles Villeneuve
Canadá [volta: 4,361km]

Suzuka, Japão
[volta: 5,807km]

Nürburgring, Alemanha
[volta: 5,148km]

Indianápolis, USA
[volta: 4,192km]

Barcelona, Espanha [volta: 4,730km]

Silverstone, Grã-Bretanha
[volta: 5,141km]

Hungaroring, Hungria
[volta: 4,381km]

Nevers, Magny Cours, França
[volta: 4,411km]

Internacional de Xangai, China
[volta: 5,451km]

Sepang, Kuala Lumpur
Malásia [volta: 5,543km]

Spa-Francorchamps, Bélgica
[volta: 6,973km]

Hockenheim, Alemanha
[volta: 4,574km]

— ESPECIFICAÇÕES DE WICKETS DE CRÍQUETE —

ano	*stumps*	*bails*	*altura*	*largura*
1700	2	1	12 pol	24 pol
1775	3	1	22 pol	6 pol
1798	3	1	24 pol	7 pol
1816	3	1	26 pol	7 pol
1817	3	2	27 pol	8 pol
HOJE	3	2	28 pol	9 pol

[Na partida *Gentlemen* X *Players* de 1837, os *Players* defenderam *wickets* de 36 por 12 pol.]

—— DIAGRAMA DOS ARCOS DE CROQUET ——

SEQUÊNCIA DE NOVE ARCOS   SEQUÊNCIA DE SEIS ARCOS

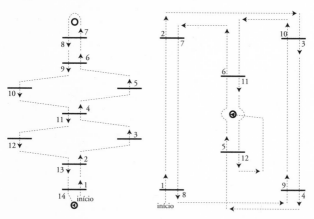

—— BOLERO ——

De origem marroquina, o bolero foi introduzido na Espanha por Sebastian Zerezo por volta de 1780 e foi rapidamente adotado como música nacional. O bolero tem um compasso 2×4 ou 3×4, lembrando o fandango. O balé de um ato em crescendo *Bolero* (1928), de Maurice Ravel, é certamente o exemplo mais famoso da dança – em parte por ter sido utilizado no filme *Mulher Nota 10*, em que Dudley Moore se envolve com Bo Derek, mas certamente por ter sido interpretado por Jayne Torvill e Christopher Dean, quando eles ganharam a medalha de ouro em patinação artística nos Jogos Olímpicos de Inverno em 1984.

—————— SONHOS: DE FREUD A FRAUDE ——————

A oniromancia – previsão do futuro através dos sonhos – há muito preocupa a humanidade. Abaixo, algumas interpretações oniromânticas de (francamente duvidosos) 'guias de sonhos' vitorianos e eduardianos:

Tema do sonho	*indica*
Achar objetos	ansiedade por perder algo
Advogados	perturbação e angústia
Afogamento	dificuldades financeiras à espera
Alfabeto	sucesso graças ao próprio esforço
Avestruzes	problemas pela inveja dos outros
Bisbilhoteiros	risco de perseguição ou processo
Bule de chá	uma nova amizade
Caixão com flores	amigo doente irá se recuperar
Castores	perigo representado por inimigos ocultos
Chaves	[achadas] bens e riqueza; [perdidas] desapontamento
Dança	boas novas de um amigo há muito ausente
Elefantes	boa sorte; sabedoria; novas amizades
Esquilos	casamento ou sociedade prósperos; satisfação
Ferraduras	boa sorte; um lar feliz
Ferrovia	notícias ou visita de um amigo há muito afastado
Formigas	o esforço da pessoa será recompensado
Gaitas de fole, música de	tristeza; perda de ente querido
Gelo	grande responsabilidade; colheita abundante
Granizo	luto e tristeza; problemas superados com perseverança
Júri	desapontamento, necessidade de ajuda
Labirintos	perturbação, confusão, problemas com dinheiro ou parentes
Laranjas	azar; perda de bens e reputação
Limpeza de chaminé	ótima sorte à frente
Luvas	honra e segurança; [rasgadas] amizade rompida
Pacotes	recebimento iminente de presentes; medo de mudança
Patíbulos	sorte excelente e prosperidade financeira
Parteiras	revelação de segredos até então bem guardados
Pêssegos	boa sorte, sucesso na amizade, nos negócios e no amor
Pipas	discussões com amigos ou parentes; incerteza
Rainha	boas-novas iminentes; sorte no amor e no romance
Sapos	suspeitar de estranhos ou estrangeiros
Sombra	preocupação e problemas; [a sua] perda, pobreza, velhice
Unhas	trabalho, esforço; alguma sorte e sucesso
Urna	[vazia] morte; [quebrada] brigas; [com cinzas] herança
Velas	[acesas] cartas agradáveis à vista; [apagadas] doença
Vinho	alegria; boa sorte; festas
Vulcão	más notícias; mudança e incerteza; brigas familiares
Zebra	rancor de amigos que antes eram de confiança

——— GEORGE ORWELL SOBRE A LOTERIA ———

A Loteria, com seu pagamento semanal de enormes prêmios, era o único acontecimento público ao qual os proles davam verdadeira atenção. Provavelmente havia alguns milhões de proles para os quais a Loteria era a principal, senão a única razão para continuar vivo. Era seu prazer, seu delírio, seu calmante, seu estimulante intelectual. No que dizia respeito à Loteria, mesmo pessoas que mal sabiam ler e escrever pareciam capazes de cálculos intrincados e de impressionantes feitos de memória.

— GEORGE ORWELL, *1984*, 1949

——— ALGUMAS CITAÇÕES SOBRE CARTAS ———

ELY CULBERTSON · Um baralho de cartas [é] construído como a mais pura das hierarquias, com cada carta sendo um mestre para aquelas abaixo, um lacaio para aquelas acima.

ALEXANDER POPE · Veja como o mundo recompensa seus veteranos! Um jovem com diversões, um velho com cartas.

SAMUEL JOHNSON · Lamento não ter aprendido a jogar cartas. É muito útil na vida: gera gentileza e consolida a sociedade.

F. SCOTT FITZGERALD · Um grande sucesso social é uma garota bonita que joga cartas com tanto cuidado quanto se fosse feia.

CHARLES LAMB · Mas cartas são guerra disfarçada de esporte.

EDMOND HOYLE · Quando em dúvida, trapaceie.

FINLEY PETER DUNNE · Confie em todos, mas corte o baralho.

ARTHUR SCHOPENHAUER · Como as pessoas não têm pensamentos com os quais lidar, elas lidam com cartas, e tentam arrancar o dinheiro umas das outras. Idiotas!

ELY CULBERTSON · O mundo bizarro das cartas [é] um mundo de pura política de poder, no qual recompensas e punições [são] dadas imediatamente. (Ver também p.18)

——— QUALIDADES DE UM CÃO GREYHOUND ———

Um greyhound deve ser *atento* como uma COBRA,
E ter o *pescoço* de um CISNE, as *costas* de uma BREMA,
Patas como as de GADO, *rabo* como de um RATO.

— JULIANA BERNERS, *Book of St. Albans*, 1486

CONTRA O FUTEBOL

O futebol é uma escola de violência e brutalidade e não merece proteção dos poderes públicos, a menos que estes nos queiram ensinar o assassinato.

— LIMA BARRETO, *escritor e fundador da Liga Contra o Futebol*

— AS PRIMEIRAS PALAVRAS CRUZADAS DE JORNAL —

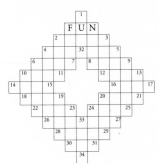

Acredita-se que as primeiras palavras cruzadas publicadas tenham sido estas, concebidas em 1913, por Arthur Wynne, para o jornal *New York World*. Após dúvidas iniciais e alguns testes com a forma de diamante, as hoje conhecidas palavras cruzadas quadradas se consolidaram. Em 1924 o *Sunday Express* publicou as primeiras palavras cruzadas de jornal no Reino Unido, e em 1930 o *Times* o seguiu.

2–3 . . . . *Aquilo de que caçadores de barganhas gostam*
6–22 . . . . *O que todos deveríamos ser*
4–5 . . . . *Um agradecimento por escrito*
4–26 . . . . *Um sonho acordado*
6–7 . . . . *Isso e nada mais*
2–11 . . . . *Uma carta de baralho*
10–11 . . . . *Um pássaro*
19–28 . . . . *Um pombo*
14–15 . . . . *Oposto de menos*
F–7 . . . . *Parte de sua cabeça*
18–19 . . *O que é este quebra-cabeça*
23–30 . . . . *Rio na Rússia*
22–23 . . . . *Animal de rapina*
1–32 . . . . *Governar*
26–27 . . . . *O final de um dia*
33–34 . . . . *Planta aromática*

28–29 . . . . *Escapar*
N–8 . . . . *Um punho*
30–31 . . . . *Plural de é*
24–31 . . . . *Concordar com*
8–9 . . . . *Cultivar*
3–12 . . . . *Parte de um navio*
12–13 . . . *Barra de madeira ou ferro*
20–29 . . . . *Um*
16–17 . . . . *O que os artistas aprendem a fazer*
5–27 . . . . *Trocando*
20–21 . . . . *Preso*
9–25 . . . . *Afundar na lama*
24–25 . . . . *Encontrado na praia*
13–21 . . . . *Um garoto*
10–18 . . . *Fibra da palmeira gomuto*

[A solução está na p.160.]

DINHEIRO OCIOSO

Para os economistas, depósitos bancários inativos são 'dinheiro ocioso'.

A NOTAÇÃO DO XADREZ

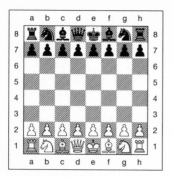

Embora haja vários sistemas diferentes de notação do xadrez, o mais útil talvez seja o sistema algébrico. Nele, as peças são indicadas por estas letras predeterminadas:

K = rei · Q = rainha · R = torre
B = bispo · N = cavalo
(peões são identificados sem prefixo)

As oito linhas e colunas são identificadas com números e letras (*como é mostrado no desenho ao lado*).

Cada casa tem um código específico, de **a8**, no canto superior esquerdo, até **h1**, no inferior direito. A movimentação das peças é indicada pela letra prefixada seguida pela casa de *chegada* (quando peões são movimentados, apenas a casa de chegada é anotada). Se uma peça captura outra, a letra x é inserida antes da casa de chegada, como, por exemplo, Rxd1. Quando um peão captura uma peça, a coluna de partida é acrescentada antes do x e da casa de chegada, como em gxf3. Se um peão é promovido, a movimentação é indicada normalmente, mas a letra prefixada de sua nova identidade é acrescentada, como em f8Q. (Há outras convenções, como quando duas peças idênticas podem se mover para a mesma casa.) Além disso, são usadas várias outras abreviaturas para descrever o jogo, como:

+	xeque	?	jogada ruim
++	xeque-mate	??	erro grave
0-0	roque do Rei	(?)	jogada questionável
0-0-0	roque da Rainha	!?	interessante, jogada arriscada
e.p.	toma *en passant*	?!	duvidosa, jogada muito arriscada
1-0	Pretas desistem (Brancas ganham)	!	boa jogada
0-1	Brancas desistem (Pretas ganham)	!!	jogada brilhante
½-½ ou =	empate por consenso	⊙	zugzwang

'PUXAR O GANSO'

Na Nova York do século XVII, 'Puxar o Ganso' era uma tradição da Terça-feira Gorda. Pegava-se um ganso vivo, untava-se seu pescoço com sabão, óleo ou outros unguentos; depois disso ele era amarrado com cordas entre dois postes. Os competidores a cavalo partiam na direção do ganso a pleno galope tentando arrancar a cabeça da ave ao passarem por ela.

DWYLE FLUNKING

Acredita-se que o *Dwyle Flunking* tenha surgido no século VIII, na corte do Rei Offa de Mércia, provavelmente a partir do *Spile Troshing* (ver p.135). São necessários para o 'esporte': um balde de cerveja, um acordeom, uma seleção de trajes rurais (blusão de fazendeiro, chapéus de palha etc.), um farrapo mergulhado na cerveja (o *dwyle*) e uma vareta para arremessar o *dwyle* (o *swadger*). Duas equipes de 12 integrantes disputam a partida, uma batendo enquanto a outra recebe. Os batedores assumem posição com o *swadger*, enquanto os adversários dançam ao seu redor de mãos dadas acompanhados pelo acordeonista. Quando a música para o batedor arremessa seu *dwyle*, marcando 3 pontos se acertar no rosto, 2 se atingir o peito e 1 no caso de membros. Os que tiverem mais pontos ao final de dois *innings* vencem. O artista holandês Pieter Bruegel, o Velho (*c*.1525–69), parece retratar uma variação incomum de *Dwyle Flunking* em sua pintura *Jovens Jogando*.

ATIVIDADE EM ALTITUDE

Atividade	*metros em relação ao nível do mar*
Recorde de altura em *skydiving* (em traje pressurizado)	31.334
Ponto mais alto alcançado por balonista em cápsula pressurizada	19.811
Sangue humano ferve	*c*.19.000
Maior altura possível respirando oxigênio puro	*c*.12.000
Pico do Everest, ponto mais alto da Terra	8.850
Mina Monte Aucanquilcha, mais alto assentamento permanente	5.340
Estádio Hernando Siles, La Paz, Bolívia	3.600
Estádio Asteca, Cidade do México	2.240
The Silverlands, campo do Buxton FC, Derbyshire	304,8
Recorde mundial de salto com vara	6,14
Mais baixo campo de golfe do mundo, Furnace Creek, EUA	-65
Profundidade alcançada em mergulho livre	*c*.-72
Profundidade alcançada em mergulho livre com pesos	-160
Mais profundo mergulho com cilindro	*c*.-313
Profundidade alcançada com equipamento especial	-450
Profundidade alcançada por elefantes-marinhos	-1.500
Caverna Krubera, Geórgia, a mais profunda	-1.710
Fossa das Marianas, ponto mais profundo do mundo	-10.915

No dia 15 de abril de 1875, H. T. Sivel, Gaston Tissandier e J. E. Croce-Spinelli partiram da periferia de Paris no balão *Zenith* para estudar os efeitos da altitude. Quando o balão chegou a 8 mil metros os três tiveram hipóxia e desmaiaram antes de utilizar o suprimento de oxigênio. Alter-nando entre consciência e inconsciência, os três aviadores ficaram cada vez mais confusos e equivocadamente liberaram mais lastro, produzindo uma elevação ainda maior. Tissandier finalmente despertou quando o balão desceu para 6 mil metros, quando os seus companheiros já estavam mortos.

AS FRATURAS DE EVEL KNIEVEL

Ainda que o *Guinness* tenha registrado que o motociclista Evel Knievel quebrou mais ossos que qualquer outro homem, parece que se deixou levar pelo inigualável talento de Knievel para a autopromoção. A edição de 1972 do livro afirma, por exemplo, que só em um ano Knievel fraturou 431 ossos – um espantoso exagero. Abaixo, uma tentativa de listar as principais lesões sofridas por Knievel durante sua carreira:

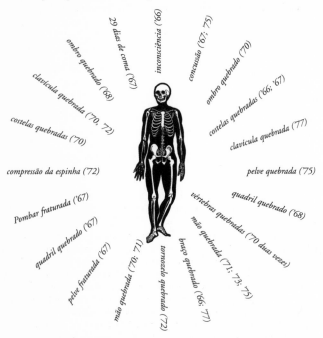

29 dias de coma ('67)

inconsciência ('66)

concussão ('67; '75)

ombro quebrado ('68)

ombro quebrado ('70)

clavícula quebrada ('70, '72)

costelas quebradas ('66; '67)

costelas quebradas ('70)

clavícula quebrada ('77)

compressão da espinha ('72)

pelve quebrada ('75)

Pombar fraturada ('67)

quadril quebrado ('68)

quadril quebrado ('67)

vértebras quebradas ('70 duas vezes)

pelve fraturada ('67)

mão quebrada ('70; '71)

tornozelo quebrado ('72)

braço quebrado ('66; '77)

mão quebrada ('71; '73; '75)

'Ossos são curados, a dor é temporária; garotas deixam cicatrizes,
mas a glória é para sempre.'
—— EVEL KNIEVEL [atrib.]

PLUS-FOURS

Plus-fours são os calções nos joelhos tradicionalmente preferidos pelos golfistas, assim chamados porque têm 4 (*four*) polegadas (cerca de 10 centímetros) a mais de tecido, de modo que ficam abaixo do joelho.

DE VOLTA À PRIMEIRA CASA

É possível que a expressão inglesa *back to square one*, 'de volta à primeira casa', tenha suas origens no início dos comentários de futebol na BBC. De modo a ajudar os ouvintes a acompanhar em casa os comentários ao vivo, o *Radio Times* publicou um esquema do campo subdividido em 8 casas (ver abaixo). Quando a bola era passada para o goleiro, voltava para a primeira casa. A primeira partida a se valer desse diagrama foi entre Arsenal e Sheffield, em Highbury, no dia 22 de janeiro de 1927.

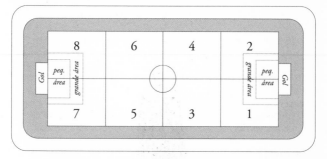

O HOLLYWOOD CRICKET CLUB

O Hollywood Cricket Club foi fruto da imaginação de Charles 'Round the Corner' Aubrey Smith (1863-1948), um rápido arremessador destro. Ex-capitão da seleção da Inglaterra na excursão de 1888-9 à África do Sul, ele foi consagrado cavaleiro por seus serviços às relações anglo-americanas em 1944. (Seu apelido teve origem em um arremesso muito especial, descrito por W.G. Grace como 'impressionante'.) Smith também foi ator de Hollywood, tendo estrelado mais de cem filmes, incluindo *Rebecca – A mulher inesquecível* (1940) e *Quatro destinos* (1949), embora costumasse ser escalado como o estereótipo do inglês. Em 1932, quando Smith vivia perto de Mulholland Drive, convenceu a Comissão de Parques de Los Angeles a doar um terreno no qual abrigar um campo de críquete. Foram importadas sementes de grama da Inglaterra e logo o Aubrey Smith Cricket Field se tornou a meca dos jogadores de críquete americanos ou expatriados. Uma relação de nomes impressionante se associou ao clube, entre eles Douglas Fairbanks Jr., Cary Grant, David Niven, Basil Rathbone, H.B. Warner, P. G. Wodehouse, Ronald Coleman e Nigel Bruce, embora Smith não tivesse vergonha de pressionar os jogadores a comparecer. Certa vez Laurence Olivier foi convocado por escrito a ir a um treino, e apareceu usando as botas que tomara emprestado de Boris Karloff.

───── A ARTE DE TOUREAR ─────

A tourada é a única arte na qual o artista corre o risco de morrer e na qual o grau de brilhantismo no desempenho é deixado à honra do lutador.

— ERNEST HEMINGWAY, *Morte ao entardecer*, 1932

───── ORGANIZAÇÃO DAS BOLAS DE SINUCA ─────

BOLA 8 INGLÊS	BOLA 9	BOLA 8 AMERICANO
15 bolas são arrumadas em triângulo. A bola preta é colocada no centro, e as vermelhas e amarelas restantes são dispostas como mostrado abaixo:	9 bolas são arrumadas em losango, com a bola 1 no alto, a bola 9 no centro e as restantes em posição aleatória. Por exemplo:	15 bolas são arrumadas com a bola 8 no centro. Uma bola com faixa fica num dos cantos inferiores e uma sem faixa no outro. Por exemplo:

[A versão americana, um pouco diferente, do BOLA 8 inglês é chamada de BLACKBALL.]

───── 'PORRINHA' ─────

Porrinha é um jogo de bar clássico, de astúcia, manha e malícia, no qual o objetivo é ser eliminado o mais rapidamente possível. Um determinado número de pessoas senta-se a uma mesa redonda e cada uma coloca entre 0 e 3 moedas numa das mãos, sem que os outros vejam. A um comando, todos colocam o punho sobre a mesa. Então os participantes, um após o outro, adivinham o número *total* de moedas nas mãos de *todos* (normalmente a pessoa mais alta canta primeiro, com a rodada seguindo em sentido anti--horário). Num grupo de cinco jogadores, por exemplo, as apostas podem variar de 0 a 15. Ninguém pode pedir o mesmo número que outro. Quando todos pediram, as moedas são apresentadas e o jogador que acertou o número sai. O jogo continua até que reste apenas um jogador – o perdedor.

—————— ALGUNS DORMINHOCOS NOTÁVEIS ——————

❦ O poeta grego EPIMÊNIDES teria adormecido em uma caverna quando criança e só despertado 57 anos depois, quando descobriu deter toda a sabedoria. ❦ No conto de Washington Irving de 1819, RIP VAN WINKLE dormiu por vinte anos nas montanhas Catskill, despertando já velho, 'ignorante e ignorado'. ❦ A lenda de Artur fala de MERLIN, que não está morto, mas adormecido na forma de uma velha árvore, esperando para despertar; e o próprio REI ARTUR não é morto em Avalon, mas fica adormecido na forma de um corvo. (Por acaso, alguns dizem que Merlin foi responsável por acordar S. DAVI, que foi encantado por Ormandine e adormeceu por sete anos.) ❦ A mitologia alemã fala de CARLOS V, que permanece adormecido até o momento de despertar e reclamar sua monarquia, e de BARBA-RUIVA, que dorme com seis cavaleiros até que eles estejam prontos para acordar e estabelecer a Alemanha como o mais poderoso Estado da Terra. ❦ Diz-se que S. EUTÍMIO adormeceu de pé apoiado em um muro, e que ARSÊNIO praticamente não dormia. ❦ MARGARETH THATCHER era conhecida por se renovar com apenas três ou quatro horas de sono por noite, assim como NAPOLEÃO e o dirigente comunista chinês CHU EN-LAI. BENJAMIN FRANKLIN certa vez declarou: 'Levante-se, mandrião, e não desperdice a vida; no túmulo dormiremos o bastante.' Por outro lado, HAROLD WILSON disse: 'Acredito que o maior patrimônio que um chefe de Estado pode ter é a capacidade de uma boa noite de sono.' ❦ Os SETE ADORMECIDOS DE ÉFESO eram cristãos perseguidos que buscaram refúgio em uma caverna na época do imperador Décio (250 d.C.) e dormiram por 200 anos. Eles despertaram em 447 d.C., no reinado de Teodósio II. ❦ A história da BELA ADORMECIDA, popularizada por Charles Perrault (1628–1703), fala de uma bela princesa amaldiçoada por uma fada má a furar o dedo e morrer. Felizmente, uma fada boa comutou a sentença de morte em um sono de 100 anos, do qual a princesa é libertada pelo beijo de um belo príncipe. ❦ Uma lenda irlandesa fala de DESMOND DE KILMALLOCK, que não está morto, mas adormecido nas águas geladas de Lough Gur, Limerick. Diz-se que uma vez por ano Desmond desperta e cavalga com armadura completa ao redor do Lough antes de voltar a seu sono profundo. ❦ Diz-se que CARLOS MAGNO não está morto, mas adormecido perto de Salzburgo, esperando o surgimento do Anticristo, momento em que ele despertará, derrotará o mal e marcará o advento de Cristo. ❦ Na mitologia grega, ENDÍMIO era um belo pastor que, após cuidar do rebanho certa noite no monte Latmos, foi flagrado dormindo nu pela deusa-lua Selene. Imediatamente apaixonada, Selene voou para a Terra em uma carruagem de prata e fez amor com ele. Com ciúme de sua beleza, Selene beijou os olhos de Endímio e o condenou a um sono sem sonhos durante o qual ele nunca envelheceria. ❦ MORFEU é o deus dos sonhos (filho de Somnus, ou Hypnos, antigo deus do sono), que emprestou seu nome ao narcótico morfina. ❦

——— O PALIO DE SIENA ———

Duas vezes por ano, em julho e agosto, dez cavalos são montados em pelo e correm três voltas em torno da *Piazza del Campo*, na cidade italiana de Siena. A corrida propriamente dita dura apenas 90 segundos – tempo breve que mascara a história, o orgulho e a paixão que o acontecimento desperta. A prova é conhecida como *Palio*, que é também o nome do estandarte de seda disputado na corrida. Os *Palios* ocorrem desde pelo menos 1238 e apenas acontecimentos como cólera, terremotos, revoltas e guerra foram capazes de interferir. (Embora em 1919, quando a revolta se espalhava pelo resto da Itália, Siena tenha permanecido curiosamente pacífica durante a temporada do *Palio*.) O segredo do *Palio* está na estrutura de Siena, que é dividida em *contrade* (bairros) que funcionam como unidades sociais, políticas e militares. No século XIV havia pelo menos 42, mas desde 1729 existem apenas 17:

A divisão de Siena em 17 contrade *(os números correspondem ao desenho ao lado) e uma planta da* Piazza del Campo, *mostrando o sentido em que os participantes do* Palio *correm.*

As *contrade* são definidas por limites bem-estabelecidos (embora invisíveis) que atravessam a cidade – cada uma tem o próprio governo, lema, santo, emblema, cores, museus, números da sorte e assim por diante. A dignidade de uma *contrada* depende inteiramente do resultado de cada *Palio*. Vencer uma corrida produz orgulho e prazer; perder gera vergonha e tristeza. Na verdade, chegar em segundo lugar é considerado uma humilhação muito maior que chegar em último. Ademais, uma *contrada* aliada ao vencedor partilhará sua vitória; e o tradicional rival da *contrada* vencedora será visto como derrotado, mesmo que não tenha corrido. Não há como superestimar a complexidade do *Palio*, que em todas as suas facetas é embebido de tradição, superstição e suspeita competitiva, desde a seleção das dez *contrade* que irão correr até a atribuição de um cavalo a cada *contrada*. Antes de cada prova todos os cavalos são levados pela *contrada* até sua igreja para ser abençoados, e depois disso são guardados para prevenir ataques de *contrade* rivais. Durante a corrida, os jóqueis (*fatini*) fazem de tudo para intimidar os concorrentes, inclusive usando seus *nerbo* – chicotes de 70 centímetros feitos com falos esticados de bezerros não desmamados. Assim que a corrida termina, a multidão cerca o jóquei e o cavalo vencedores, lutando para tocar na seda do próprio *Palio*. Isso sinaliza o início dos festejos e dos lamentos que tomam conta de Siena durante dias.

O orgulho de pertencer a uma *contrada* é enorme, e assim como alguns dos habitantes de Yorkshire insistem em que seus filhos nasçam no condado para garantir que possam integrar a equipe de críquete de Yorkshire, muitos dos naturais de Siena atravessam a Itália para que seus filhos possam nascer na *contrada* certa. Abaixo estão algumas das características de cada uma das 17 *contrade*.

Nome	Tradução	Negócio	Cores	Dia santo	Rivais	Aliados	Lema	Vitórias
1...AQUILA†	*águia*	contadores	a-c-p	8 set	13	5,4	*Da águia, bico, presa e asa.*	24
2...BRUCO†	*lagarta*	tecelões de seda	a-ac-ve	2 jul	15	7,10,16	*Meu nome se ergue como uma revolução*	35
3...CHIOCCIOLA	*caracol*	curtidores	a-t-v	29 jun	15	7,13,14	*Lenta e certamente o Caracol vencerá.*	50
4...CIVETTA	*coruja*	sapateiros	p-v-b	13 jun	8	1,6,7,13	*Eu vejo através da noite*	32
5...DRAGO	*dragão*	banqueiros	v-a-ve	29 abr		1	*Fogo no coração se torna chama em minha boca.*	36
6...GIRAFFA	*girafa*	pintores	b-v	julho		4,7,13	*Quanto mais alta a cabeça, maior a glória*	33
7...ISTRICE	*porco-espinho*	ferreiros	b-v-p-az	24 ago	9	2,3,4,6	*Eu ataco como defesa.*	40
8...LEOCORNO	*unicórnio*	ourives	b-l-t	24 jun	4	13,15	*Meu braço igualmente fere e cura*	28
9...LUPA	*loba*	padeiros	l-p-b	16 ago	7		*Es urbis et senarum signum et decus*	34
10...NICCHIO†	*concha*	oleiros	ac-a-v	7 ago	17	2,12,15	*O vermelho do coral queima em meu coração.*	42
11...OCA†	*ganso*	tintureiros	b-v-ve	29 abr	16		*Clangit ad arma*	61
12...ONDA	*onda*	carpinteiros	b-ac	2 jul	16	10,15,17	*A cor do céu, a força do oceano*	37.5
13...PANTERA	*pantera*	boticários	v-b-ac	29 ago	1	3,4,6,8	*A pantera rugiu, o povo temeu*	25
14...SELVA	*floresta*	tecelões	ve-l-b	15 ago		3,15	*A primeira floresta no Campo*	33
15...TARTUCA	*tartaruga*	pedreiros	a-t	13 jun	3	8,10,12,14	*Força e consistência*	44.5
16...TORRE	*torre*	tecedores de lã	v-b-ac	25 jul	11,12	2	*Juntamente com a força, o poder.*	43
17...MONTONE	*carneiro*	mercadores de seda	v-a-b	26 abr	10	12	*Muralhas desmoronam sob meus chifres.*	43

As contrade só foram numeradas para facilitar a identificação de contrade aliadas e rivais, e em função do mapa anterior. Número de vitórias até 2004.

Legenda de cores: Vermelho, Azul-Claro, Azul-Escuro, Amarelo, Branco, Verde, Preto, Turquesa, Laranja, Azul, Rosa.

† *Indica as 'Contrade Nobres', assim chamadas em função de reconhecimento real.*

———————— O SONO E SUAS FASES ————————

O sono é considerado um período facilmente reversível, regular e natural de inconsciência parcial ou completa, durante o qual a atividade do sistema nervoso é em certa medida suspensa, o corpo descansa e se recupera e a reação do indivíduo ao ambiente é reduzida. Embora houvesse muito se acreditasse que o sono não era uniforme, só com o advento do eletroencefalograma (EEG) e de outros testes as duas fases principais do sono foram identificadas:

Non-Rapid-Eye Movement [NREM]: Esse tipo de sono tem quatro estágios de intensidade crescente (*ver os traços de EEG ao lado*). É caracterizado por uma redução de: atividade cerebral, taxa metabólica, frequência cardíaca, pressão sanguínea, temperatura e assim por diante. O sono NREM é importante para o crescimento, a conservação de energia e o processamento de informações adquiridas durante a vigília.

Rapid-Eye Movement [REM]: Esse sono é caracterizado por redução no tônus muscular, espasmos musculares involuntários suaves e movimentos rápidos dos olhos. A REM é a fase em que ocorre a maior parte dos sonhos e o aumento da atividade cerebral. Em adultos, entre 20 e 30% do sono é do tipo REM.

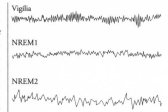

Vigília

NREM1

NREM2

NREM3

NREM4

REM

⊢—⊣ 1 segundo

Na maioria dos casos o sono começa com NREM1, que dura aproximadamente de 30 segundos a 7 minutos; vem então NREM2, com NREM3 e NREM4 ocorrendo em cerca de 45 minutos. Depois da primeira fase de REM normalmente retornamos rapidamente a NREM2. Então tendemos a alternar entre sono NREM e sono REM perto de 4 ou 5 vezes, em intervalos de mais ou menos 90 minutos; a cada alternância o período REM é mais longo e mais intenso, e nossos estágios finais de sono costumam ser NREM2 e REM.

———————— COMPETIÇÕES DE GINÁSTICA ————————

MASC · *solo · salto · cavalo com alças · barras paralelas · barra fixa · argolas*
FEM · *solo · salto · trave · barras assimétricas*

SOBRE MULHERES E CICLISMO

Há apenas alguns anos andar de bicicleta era visto como um passatempo bastante inadequado para mulheres. O triciclo era usado por algumas que achavam precisar de exercícios mais vigorosos que os que podiam ser conseguidos caminhando ou jogando uma serena partida de croquet. (...) Mas atualmente existe uma reação a favor dela e apenas os obstinadamente cegos estão na oposição (...) Não há dúvida de que a bicicleta proporcionou saúde a muitas mulheres nervosas e esgotadas. Tudo depende, claro, do bom-senso do indivíduo (...) Nenhuma mulher deve andar de bicicleta se tiver alguma deficiência grave, a não ser com grande cautela e a permissão de um médico que não apenas compreenda sua constituição, mas também tenha feito um estudo especial do ciclismo em todas as suas fases.

— SUSAN, CONDESSA DE MALMESBURY, 1897

EXPRESSÕES DE ARREMESSO DE DARDO

O quarto de Annie .... número 1
Saco de nozes *ou* Xícara e pires .... 45 pontos marcados
Porão .... duplo 3
Cama e café† .... 26 feitos a partir de 5, 20 e 1
Balde de agulhas .... 3 números 1
Desperdiçou o meio .... quando o mais perto da mosca começa
Duplo teto .... duplo 20
Térreo .... os números na parte de baixo do alvo
Penas .... 33 pontos marcados
Lorde Nelson .... 111 pontos marcados
O trouxa sai .... quando o perdedor começa o jogo seguinte
Igreja rica, banco errado‡ .... 2 vezes o número errado
Robin Hood .... quando o dardo bate em um dardo anterior
Xangai .... um número, o dobro e o triplo em 3 dardos
Três numa cama§ .... 3 dardos no mesmo número
Tonelada .... 100 pontos ou mais marcados
Tonelada-oitenta .... outra expressão para 180
Teto da casa .... duplo 20
Andar de cima .... os números na metade superior do alvo
X .... um duplo 1 fora

† Aparentemente, o termo deriva da época em que uma estada em um hotel barato custava apenas 2 xelins e 6 pence. ‡ Também *Casa certa, cama errada* e *Bar certo, balcão errado*. § Os devotos de *Bullseye* lembrarão que dois dardos em qualquer seção podem acabar com as chances de ir às finais e talvez, apenas talvez, ganhar aquela lancha. Como Tony alertou: *Fique fora do preto, e no vermelho. Não há nada neste jogo para dois em uma cama!*

FAIXAS DE CARATÊ

A adoção de faixas coloridas para indicar experiência e status é comum a muitas artes marciais, embora as cores variem entre as disciplinas e dentro delas. A convenção de que elas escurecem à medida que o lutador se qualifica foi explicada de diversos modos. Alguns dizem que é porque as faixas nunca eram lavadas e desbotavam com o tempo; para outros, as faixas eram mantidas, sendo apenas tingidas. Abaixo, uma das tabelas, esta do caratê shotokan:

Grau	Faixa	Japonês			
			1º Kiu… marrom e branca…	*Ikkyu*
			1º Dan … preta …	*Shodan*
10º Kiu……. branca…..	*Soshinsha*	2º Dan … preta …	*Nidan*
9º Kiu…… laranja ……	*Kukyu*	3º Dan … preta …	*Sandan*
8º Kiu …… vermelha …	*Hachikyu*	4º Dan … preta …	*Yondan*
7º Kiu…… amarela …	*Shichikyu*	5º Dan … preta …	*Godan*
6º Kiu …… verde……	*Rokkyu*	6º Dan … preta …	*Rokudan*
5º Kiu …… roxa ……	*Gokyu*	7º Dan … preta …	*Shichidan*
4º Kiu … roxa e branca …	*Yonkyu*	8º Dan … preta …	*Hachidan*
3º Kiu…… marrom ……	*Sankyu*	9º Dan … preta …	*Kudan*
2º Kiu… marrom e branca…	*Nikyu*	10º Dan…… preta ……	*Judan*

EXCLUSÕES NO CRÍQUETE

Wicket atingido · Apanhado · Batido pelo arremessador · Tocar na bola
Apanhado fora · Acertar a bola duas vezes · Tempo esgotado†
Perna à frente do *wicket* · Obstrução de campo.

† *Novos batedores têm três minutos para ir à sua linha após a queda de um* wicket.

TOGS E EDREDONS

TOG é uma unidade de resistência térmica usada para exprimir as propriedades de roupas e de roupas de cama. 1 TOG corresponde à resistência usada para manter uma diferença de temperatura de 0,1°C com um fluxo de 1 watt por metro quadrado, ou, explicando de outro modo, o índice TOG de um têxtil é igual a dez vezes a diferença de temperatura entre suas duas faces quando o fluxo de calor é igual a um watt por metro quadrado. Um TOG é aproximadamente igual à resistência térmica de uma roupa masculina de verão ou um cobertor de média qualidade; 10 TOGs são o máximo praticável para ser vestido. Em geral, edredons de verão têm por volta de 4,5 a 6 TOGs, enquanto edredons de inverno têm uma taxa entre 12 e 13,5.

O TOG é baseado no CLO, o isolamento necessário para sustentar confortavelmente um indivíduo em repouso em um aposento ventilado (movimento do ar ≈ 10cm/seg) a uma temperatura de 21°C, quando a umidade do ar é inferior a 50%. 1 TOG ≈ 0,645 CLO.

—— 'KABADDI-KABADDI-KABADDI-KABADDI' ——

Cruzamento entre 'Pegador' e '*British Bulldog*', o *Kabaddi* é provavelmente o único esporte não aquático em que a capacidade de segurar o fôlego é essencial. Embora tenha uma série de regras e regulamentos bem-concebidos, a essência do *kabaddi* é que ele pode ser jogado em praticamente qualquer lugar, por qualquer grupo, sem nenhuma roupa nem equipamento especial.

As quadras oficiais têm 13m × 10m, divididas em dois campos, cada um com o terço final subdividido em *faixas*. Como um lado pode ter apenas 7 jogadores da equipe de 12, *bancos de reservas* são colocados nas duas laterais da quadra.

As equipes alternadamente mandam um *atacante* ao campo do adversário, que é ocupado pelos *defensores*. Antes de cruzar a linha divisória, os atacantes devem começar a repetir claramente e em voz alta a palavra *kabbadi*[†] (sem parar), para mostrar que não estão respirando. Essa repetição é conhecida como *canto*, e qualquer jogador que pare durante seu *canto* é eliminado. (Os jogadores também são eliminados caso cruzem as linhas delimitadoras do campo.) Chegando ao campo adversário, os atacantes tentam cruzar a *linha* e retornar ao próprio campo tocando o maior número de *adversários* possível. Quando um *atacante* consegue fazer isso – ao mesmo tempo sustentando o *canto* –, a jogada é chamada de *ataque bem-sucedido*, e todos os *defensores* tocados durante o ataque são eliminados. O objetivo dos *defensores* é *segurar* o *atacante* e impedir que ele retorne a seu campo antes que seu *canto* termine. Qualquer *atacante* que for *segurado* poderá se salvar caso consiga tocar o chão do próprio campo com qualquer parte do corpo. Se um jogador é eliminado, deve deixar o campo, e só pode retornar quando um integrante da equipe adversária é eliminado.[‡] As equipes marcam um ponto por jogador que eliminam, e dois pontos extras (uma *lona*) ao eliminarem o time inteiro. Normalmente as partidas costumam durar 40 minutos, com um intervalo de 5 minutos na metade do tempo, e os jogos são organizados por peso e idade.

† O *kabaddi* também é jogado sob vários outros nomes, que normalmente funcionam como base do *canto*, incluindo *do-do-do, zabar gagana, hututu, chedu-gutu, kapat* e *wandikali*.
‡ Certas variações têm regras diferentes para os eliminados: *sanjeevani*, depois de eliminado um jogador pode regressar; *amar*, um jogador eliminado pode ficar em campo, embora o ponto seja marcado, e *ganimi*, uma vez eliminado, o jogador não pode retornar.

————— O FARDO DO PREGUIÇOSO —————

Fardo de Preguiçoso é aquele pesado demais para ser carregado; inspirado nos indolentes que se sobrecarregam na esperança de que não precisem voltar.

——— ÂNGULOS DE TACOS DE GOLFE DE FERRO ———

Abaixo, os ângulos-padrão de elevação de tacos de ferro, juntamente com a distância média alcançada por jogadores, jogadoras e por Tiger Woods:

Perfil da face										
Nº do taco	2	3	4	5	6	7	8	9	PW	SW
Âng. face (c.)	20º	23º	26º	30º	34º	38º	42º	46º	50º	56º
Masc. (jardas)	170-90	160-80	150-70	140-60	130-50	120-40	110-30	100-20	90-110	<100
Fem. (jardas)	150-70	140-60	130-50	120-40	110-30	100-20	90-110	80-100	70-90	<80
Tiger (jardas)	245	230	220	210	190	170	160	145	130	110

——— MENTES PREGUIÇOSAS E FÚTEIS ———

Abaixo, a distinção que lorde Chesterfield (1694–1773) fez (em 26 de julho de 1748) entre mentes PREGUIÇOSAS e FÚTEIS em uma das muitas cartas de instrução autoritárias[†] que escreveu a seu filho ilegítimo Philip.

'A MENTE PREGUIÇOSA não se dará o trabalho de ir ao fundo de algo; desencorajada pelas primeiras dificuldades (...) para, se satisfaz com conhecimento fácil e consequentemente superficial, e prefere uma grande dose de ignorância a uma pequena dose de problemas (...)'

'A mente FÚTIL E FRÍVOLA está sempre ocupada, mas de modo pouco objetivo; transforma pequenas coisas em grandes, e dedica a futilidades o tempo e a atenção que apenas as coisas importantes merecem. Quinquilharias; borboletas; conchas, insetos etc. são os temas de suas pesquisas mais sérias (...)'

'(...) Por Deus, então reflita. Você irá desperdiçar esse tempo com preguiça ou em futilidades? (...) Leia apenas livros úteis, e nunca abandone um tema até dominá-lo plenamente; leia e questione até chegar a isso.'

† *Samuel Johnson declarou sobre as cartas de Chesterfield: 'Elas ensinam a moral de uma prostituta e os modos de um mestre de dança.' Esse comentário foi provocado pela recusa de Chesterfield de cumprir sua proposta de patrocínio enquanto Johnson estava compilando seu* Dictionary of the English Language. *Johnson se vingou definindo assim a palavra* patrono *em seu dicionário: 'Normalmente um desgraçado que apoia com insolência e é pago com bajulação.'*

——— MÃOS, PÉS E CAVALOS ———

A MÃO é a medida usada para os cavalos. No século XIX uma MÃO tinha 3 polegadas ou 0,25 pé [7,5cm]. Atualmente, 4 polegadas, ou 0,33 pé [10cm].

FALTAS NAS LUTAS EM NEVADA

Em função da popularidade local de *toughman, badman, ultimate fighting* e outras competições de artes marciais mistas, uma lei do estado de Nevada (NAC 467.7962) detalha atos que constituem faltas nessas competições:

Dar cabeçadas · Pressionar ou esfregar os olhos · Morder · Puxar cabelos
Enganchar o dedo na boca e puxar · Qualquer golpe na virilha
Colocar o dedo em qualquer orifício ou em qualquer corte ou laceração
Torcer dedos · Golpes na coluna ou na nuca
Golpes de cima para baixo usando o cotovelo
Golpes de qualquer tipo na garganta, incluindo agarrar a traqueia
Arranhar, beliscar ou torcer a pele · Agarrar a clavícula
Chutar ou dar joelhada na cabeça de um oponente no chão
Pisar um oponente no chão · Chutar os rins com o calcanhar
Prender o oponente na lona pela cabeça ou pelo pescoço
Jogar o oponente fora do ringue ou da área cercada
Segurar o short ou as luvas do oponente · Cuspir no oponente
Usar linguagem agressiva no ringue ou na área cercada
Timidez, incluindo evitar contato físico com o oponente
ou seguidamente cuspir o protetor de boca ou simular contusão

PARAOLIMPÍADAS

Os Jogos Paraolímpicos têm origem num trabalho pioneiro de Sir Ludwig Guttman, que, em 1948, organizou uma competição em Stoke Mandeville para veteranos da Segunda Guerra com lesões na coluna, convicto de que o esporte levantava o moral e ajudava na reabilitação. Por volta de 1960, já existiam jogos internacionais ao estilo olímpico. O objetivo das Paraolimpíadas é mostrar a vitória atlética sobre a deficiência, e, com esse intuito, apenas a elite pode participar. Há atualmente seis categorias: lesão na medula espinhal; amputados; visualmente prejudicados; portadores de paralisia cerebral; deficientes mentais, e *les autres* (atletas com problemas de locomoção). As deficiências são graduadas pela gravidade, e as competições ocorrem entre os que têm deficiências semelhantes. Em 1952, 2 países e 130 atletas participaram dos jogos; em Sidney, no ano 2000, foram 123 países e 3.843 atletas. Em 2001, um acordo firmado entre o COI e o Comitê Paraolímpico Internacional (CPI) determinou que, em 2012, a cidade de Londres, que sediará os Jogos Olímpicos, assim como as próximas sedes dos jogos, será obrigada a acolher também a Paraolimpíada. Ainda que o CPI afirme que *Paraolímpico* significa 'ao lado das Olimpíadas', essa pode ser uma interpretação moderna da palavra. (O *Oxford English Dictionary* data o termo *paralympic* de 1954, argumentando que deriva de paraplegia: 'paralisia das pernas e da parte inferior do tronco'.)

— ALGUNS PROBLEMAS MÉDICOS ESPORTIVOS —

Abaixo, as traduções dos nomes populares de algumas contusões esportivas:

Braço de queda de braço .... paralisia de nervo radial[†]
Calcanhar de atleta .... fascite plantar
Canela lascada .... síndrome de estresse medial tibial
Cefaleia de óculos de nadador .... neuropatia supraorbital
Cotovelo de alpinista .... epicondilite medial
Cotovelo de golfista .... epicondilite medial
Cotovelo de lançador .... tendinite de manguito rotador
Cotovelo de tenista .... epicondilite lateral
Coxa de pulador de corda .... neuropatia cutânea lateral femoral
Dedão de corredor .... fratura do metatarso por estresse
Dedo de gatilho .... tenossinovite estenosante
Dedo de gramado ...... torção da primeira articulação metatarsofalangeal
Embriaguez de boxeador .... demência pugilística
Garganta de clérigo .... faringite crônica
Joanete .... *Hallux valgus*
Joelho de corredor .... síndrome de fricção do trato iliotibial
Joelho de faxineira .... bursite pré-patelar
Joelho de saltador .... tendinite patelar
Mamilo de corredor .... dermatite de fricção com liquenificação
Mão de animadora de torcida .... neuropatia mediana palmar digital
Ombro de halterofilista .... neuropatia supraescapular
Orelha de couve-flor .... hematoma subpericondral auricular
Ouvido de nadador .... otite externa
Palma de jogador de computador .... bolha palmar central
Paralisia de jogador de computador .... neuropatia distal ulnar
Paralisia do jogador de squash .... tenossinovite do extensor longo
Paralisia de mão de ciclista .... neuropatia ulnar
Paralisia de pedalada .... neuropatia do ciático
Pé de atleta .... fungo – *Epidermophyton floccosum*
Pé de corredor .... pinçamento de nervo medial plantar
Pé de corredor de estrada .... fratura do calcanhar por estresse
Pé de guru de ioga[‡] .... compressão comum do nervo peroneal
Perna de tênis .... ruptura da cabeça medial do gastrocnêmio
Polegar de lançador .... neuroma do nervo digital
Pontada de corredor .... síndrome de dor precordial do polegar
Quadril de golfista .... bursite trocantérica
Tornozelo de esquiador .... fratura do tálus lateral
Virilha de atleta .... tendinite do adutor
Virilha de monociclista .... neuropatia do ciático

[†] O nervo radial também pode sofrer danos por uso prolongado ou inadequado de algemas.
[‡] Conhecido como 'pé do colhedor de morangos' (ver *Distonia focal, repressão e tiques*, p.28).

—— WODEHOUSE SOBRE PALAVRAS CRUZADAS ——

Para um homem que ficou batendo a cabeça na parede por vinte minutos por causa de um único anagrama, é uma experiência um tanto desagradável ler que o reitor de Eton calcula o tempo necessário para cozinhar seus ovos do café da manhã em função do tempo necessário para ele solucionar as palavras cruzadas do *Times* – e que o reitor detesta ovos duros.

— P.G. WODEHOUSE

—— HIERARQUIA DOS CASSINOS DE LAS VEGAS ——

MESAS DE JOGOS	CAÇA-NÍQUEIS
VENDEDOR	MOÇA DO TROCO
CRUPIÊ DO BASTÃO (craps)	ATENDENTE DE CARROSSEL
GERENTE DE MESA	ADMINISTRADOR DO SALÃO
ADMINISTRADOR DO SALÃO	SUBGERENTE DE TURNO
CHEFE DE SALÃO	GERENTE DE TURNO
GERENTE DE TURNO DE JOGOS	DIRETOR DE MÁQUINAS
GERENTE DE CASSINO	GERENTE GERAL
GERENTE GERAL	

———— MONTE DE TRÊS CARTAS ————

Monte de Três Cartas – também conhecido como *Ache a Dama* ou *Bonneteau* – é um dos golpes mais antigos. Três cartas, normalmente duas pretas e uma Dama vermelha, são colocadas (pelo *banqueiro*) em uma mesa e embaralhadas na sua frente. Você tem de apontar a Dama. Embora para a maioria dos jogadores apenas o *banqueiro* pareça estar envolvido, todos esses golpes utilizam *aliciadores* que cercam a mesa, *fingidores* que se fazem passar por ganhadores e *olheiros* que ficam atentos à lei. Às vezes os *fingidores* ou os *aliciadores* 'ajudam' um apostador marcando o canto da Dama quando o *banqueiro* não está olhando, apenas para o *banqueiro* logo alisar aquela carta e dobrar o canto de outra. Claramente, a única forma de ganhar o jogo é nunca jogar. Contudo, se você ficar tentado, o melhor conselho é o seguinte: acompanhe as mãos do banqueiro atentamente até ter certeza de que identificou a dama. Então, aposte numa das duas outras, aumentando de zero para 50% sua chance de ganhar. Dito isso, se por acaso você ganhar, haverá uma grande probabilidade de que um olheiro dê o alarme e o jogo seja encerrado antes que você receba seu dinheiro, ou de que você seja seguido e 'aliviado' de seus ganhos.

SOBRE CAMINHAR

Na gíria tradicional dos causídicos, 'ir CAMINHAR NA CORDA' significava cometer um crime no Old Bailey — 'cordas' era o apelido de bandidos, salteadores, rufiões, vagabundos e que tais. ❦ CAMINHAR EM ROVER'S é vagar sem destino definido nem ponto de chegada. ❦ A noção de FERIDOS CAMINHANTES (isto é, prisioneiros que podiam ir ao médico por conta própria) surgiu durante os horrores da Primeira Guerra Mundial. ❦ ANDAR NO GIZ é uma expressão militar e policial para andar sobre uma linha traçada a giz para demonstrar sobriedade. WALK YOUR CHALK! era uma ordem para deixar o alojamento, talvez oriunda da prática de marcar a giz as portas das casas que seriam requisitadas pelo Exército ou a Monarquia. ❦ ANDAR DORMINDO (também sonambulismo e noctambulação) tende a ocorrer em estágios de sono NREM profundo (ver p.88) e pode durar de alguns minutos a meia hora. Durante episódios de sonambulismo as pessoas normalmente são capazes de realizar funções motoras complexas e frequentemente não se recordam de seus atos quando acordam. ❦ Como o Dire Straits observou: 'E após toda a violência e o papo dúbio, Só há uma canção em meio a todos os problemas e luta, você dá a caminhada, a CAMINHADA DA VIDA.' ❦ Quando os aborígines australianos VÃO PASSEAR eles retornam à selva para fugir da vida ocidentalizada por algum tempo. Quando membros da Família Real VÃO PASSEAR deixam o conforto de seus carros para estar com a ralé. ❦ Um rebatedor de beisebol ganha uma CAMINHADA até a primeira base se tiver quatro 'bolas' arremessadas ou se for tocado por uma bola arremessada. ❦ CAMINHADA DE DOBBIE é a área assombrada por um duende — no século XIX um '*dobbie*' era um espírito da casa ou uma aparição. ❦ Quando batedores do críquete CAMINHAM, abandonam a área antes mesmo que o árbitro os mande sair (ver p.90) Como disse Brian Close: 'Um batedor que sabe que está fora deve caminhar. É como nós jogamos o jogo.' ❦ A Lambeth Walk é uma estrada no sul de Londres retratada no musical de 1937 *Me and My Gal*. A canção ('*Any time you're Lambeth way, Any evening, any day, You'll fund us all, Doin' the lambeth walk*') era acompanhada de uma dança empertigada e movimentos de dedos, com o grito ocasional de 'Oi!'. ❦ Dança do século XIX de origem afro-americana, a CAKE WALK (ou 'caminhada do bolo') surgiu com os escravos parodiando os modos 'nobres' de seus donos. Os dançarinos se reuniam no salão improvisando movimentos e os mais elegantes ganhavam um bolo. ❦ O ministro de CAMINHADAS BOBAS (John Cleese) não se impressionou absolutamente com a caminhada boba de Mr. Pudey (Michael Palin): 'Não é particularmente boba, é? Veja bem, a perna direita não está de modo algum boba e a esquerda apenas faz uma meia-volta aérea a cada passo alternado.' ❦ PEGAR O ÔNIBUS DO ANDARILHO, PEGAR O ÔNIBUS DE MEDULA e CAVALGAR O PÔNEI DA CANELA são eufemismos para caminhar. ❦ Na gíria da caça de tiro, batedores dirigem ou CAMINHAM para desalojar pássaros do solo para a linha de tiro. ❦ Receber a ordem de ORDEM DE MARCHA é ser redundante, assim como receber PAPÉIS DE CAMINHADA. ❦ [Ver p.21 e p.143.]

— BARALHOS DE CARTAS INTERNACIONAIS —

País	Naipes	Figuradas	Numeradas	Baralho-padrão
ALEMANHA	folhas, bolotas, copas, sinos	Rei, Acima, Abaixo	7, 8, 9, 10, Ás	32
SUÍÇA	escudos, bolotas, flores, sinos	Rei, Acima, Abaixo	6, 7, 8, 9, 10, Deuce	36
ESPANHA	espadas, paus, taças, moedas	Rei, Cavaleiro, Valete	1, 2, 3, 4, 5, 6, 7	40
ITÁLIA	espadas, bastões, taças, moedas	Rei, Cavaleiro, Soldado	1, 2, 3, 4, 5, 6, 7	40
FRANÇA	espadas, bastões, copas, ouros	Rei, Rainha, Valete	Ás, 2, 3, 4, 5, 6, 7, 8, 9, 10	52

— OS CINCO 'CLÁSSICOS' E OUTRAS PROVAS INTERNACIONAIS —

Prova clássica	Aberta a	Distância	Local	Mês	1ª Prova	1º Vencedor
O 2000 Guineas	potros e éguas de 3 anos	1 milha	Newmarket	Maio	1809	Wizard
O 1000 Guineas	éguas de 3 anos	1 milha	Newmarket	Maio	1814	Charlotte
O Oaks	éguas de 3 anos	1 milha, 4 furlongs e 10 jardas	Epsom	Junho	1779	Bridget
O Derby	potros e éguas de 3 anos	1 milha, 4 furlongs e 10 jardas	Epsom	Junho	1780	Diomed
O St. Leger	potros e éguas de 3 anos	1 milha, 6 furlongs e 132 jardas	Doncaster	Setembro	1776	Allabaculia

Prova	País	Distância	Local	Mês	1ª Prova	1º Vencedor
Prix de l'Arc de Triomphe	França	1½ milha	Longchamp	Outubro	1920	Comrade
Kentucky Derby	EUA	1¼ milha	Churchill Downs	Maio	1875	Aristides
Melbourne Cup	Austrália	3.200 metros	Flemington Park	Novembro	1861	Archer
Irish Derby	Irlanda	1½ milha	Curragh	Junho	1866	Selim
Dubai World Cup	EAU	1 milha e 2 furlongs	Nad Al Sheba	Março	1996	Cigar
Queen's Plate	Canadá	1¼ milha	Woodbine	Julho	1860	Don Juan

—— CALENDÁRIO DE PESCA DE ARREMESSO ——

Pode-se dizer que a pesca de arremesso é tão parecida com a matemática
que nunca pode ser inteiramente aprendida.
— IZAAK WALTON, *The Compleat Angler*, 1653

Este calendário de pesca é de um texto alemão sem título (*c.*1493) de Van
der Goes, traduzido para o inglês e o holandês em 1872 por Alfred Denison:

O SALMÃO em abril e maio, e um
pouco depois disso está no seu
auge; e o salmão permanece assim
até o dia de St. James. Depois deve
ser deixado para o dia de S. André,
e está melhor entre a missa de S.
Miguel e a de S. Martinho.

A parte da frente de um LÚCIO ou
uma CARPA é sempre melhor que
a de trás, e o mesmo vale para outros peixes.

Uma TENCA sempre estará melhor
em junho.

A PERCA está sempre boa, exceto
em maio ou abril.

A BREMA e a CAVALINHA estão
boas em fevereiro e março.

A TAINHA está saborosa em março
ou abril.

Um KULLUNCK está melhor na
Festa da Purificação e continua
bom em abril.

Um ALBURNETE está muito melhor no outono.

O ESCARDÍNIO está saboroso em
fevereiro e março, e desaparece
em maio.

Os GOBIÕES estão bons durante
os meses de fevereiro, março e
abril, até maio. Apenas o gobião
jovem fica sempre bom com salsa.

As ESPINHELAS estão boas em
março e no início de maio; quando
estão carnudas devem ser mexidas
com ovos.

A ENGUIA está boa durante o
mês de maio até o dia da Assunção
de Nossa Senhora.

Uma LAMPREIA nunca estará melhor que em maio.

Um LAMPHERN, considerado o
irmão da lampreia, é bom da 13ª
missa até o dia da Anunciação de
Nossa Senhora.

O LAGOSTIM é melhor nos meses de março e abril, mais particularmente durante o período da
lua crescente, quando é muito
mais saboroso.

A pesca com mosca pode ser uma diversão muito agradável; mas a
pesca de arremesso ou a com boia eu só posso comparar a uma vara
e uma linha, com uma minhoca numa ponta e um tolo na outra.
— SAMUEL JOHNSON [atrib.]

O CÓDIGO DE HOUDINI

Harry Houdini criou um código sofisticado com sua esposa e assistente Bess para realizar ilusões de 'leitura de mentes' envolvendo números. Ela indicava, digamos, o número de série de uma nota ou a data de nascimento de alguém construindo uma frase usando o seguinte código:

1........reze	3 ....diga	5......conte	7 ..converse	9 ....olhe
2..responda	4......agora	6..por favor	8.....rápido	0. seja rápido

O número da carteira de motorista 4785932 seria revelado dizendo-se:

> *Agora! Converse comigo, oh grande Houdini! Rápido, me conte!*
> *Olhe fundo dentro de sua mente e diga a resposta!*

ADMINISTRAÇÃO DE JOGOS DE COQUETEL

Não faz parte do objetivo desta *Miscelânea* detalhar os muitos jogos de coquetel existentes (por exemplo, *ibble-dibble*, *bunnies* ou *beba enquanto pensa*). Contudo, alguns hábitos de organização e administrativos, assim como tradições, parecem ser comuns à maioria ao redor do planeta:

SR. PRESIDENTE · Único responsável por estabelecer e fazer cumprir todas as regras e multas. Todas as conversas devem se dar 'por intermédio' do presidente. Quando o presidente bebe, todos bebem.

SR. PESOS E MEDIDAS · Responsável por garantir que todos tenham drinques adequados e que as multas aplicadas sejam inteiramente consumidas. Ele se preocupa especialmente com medidas pequenas e transbordamentos.

SR. DELATOR-CHEFE · Comunica todas as violações das regras ao Presidente.

MESTRE DO POLEGAR · Se em algum momento o Mestre do Polegar colocar seu polegar na beirada da mesa, todos os outros jogadores devem acompanhá-lo imediatamente. O último jogador a perceber e colocar o polegar é multado.

É proibido APONTAR. Apenas os cotovelos podem ser usados para indicar. Normalmente só é permitido BEBER COM A CANHOTA. Alguns aplicam a regra conhecida como MÃO DA MEIA HORA, quando a mão de beber muda a cada trinta minutos. PRENOMES são substituídos por sobrenomes ou apelidos. É proibido PRAGUEJAR. Drinques que foram colocados perigosamente na beirada de uma mesa (à distância de um dedo, digamos) podem ser considerados pelo DELATOR-CHEFE DOSES PERIGOSAS, e devem ser consumidos imediatamente.

──────── SOBRE PREGUIÇA E PREGUIÇOSOS ────────

SAMUEL JOHNSON · Se você é preguiçoso, não seja solitário; se você é solitário, não seja preguiçoso.

HENRY FORD · Não há lugar na civilização para o ocioso. Nenhum de nós tem qualquer direito de relaxar.

S. MATEUS · De toda palavra de preguiça que os homens disserem, terão de prestar contas no dia do juízo.

OSCAR WILDE · A condição para a perfeição é o ócio.

THOMAS PYNCHON · Escritores, claro, são os mestres da indolência (...) O sonho ocioso frequentemente é a essência do que fazemos.

SOMERSET MAUGHAM · Era um dia tão lindo que eu achei que seria uma pena levantar.

LORDE CRANBORNE · [sobre Kenneth Clark, membro do Parlamento] Uma das razões pelas quais ele seria bom é por ser ocioso. Há muito a ser dito para líderes ociosos (ver também p.85).

GEORGE ELIOT · Muitos seriam ociosos se a fome não os tocasse; mas o estômago nos coloca para trabalhar.

OSCAR WILDE · Eu sinto um desejo irresistível de vagar e ir para o Japão, onde eu passaria minha juventude, sentado sob uma amendoeira, bebendo chá âmbar em uma xícara azul e olhando para uma paisagem sem perspectiva.

THOMAS À. KEMPIS · *Numquam sis ex toto otiosus, sed aut legens, aut scribens, aut orans, aut meditans, aut aliquid utilitatis pro communi laborans.* [Nunca seja completamente ocioso; leia, escreva, ore, medite ou faça algo de útil para o bem comum.]

SAMUEL JOHNSON · Todos seríamos ociosos se pudéssemos.

JEAN-JACQUES ROUSSEAU · Adoro me ocupar com coisas sem importância, começar cem coisas e não concluir nenhuma (...) em síntese, desperdiçar o dia inteiro de forma inconsequente (...) e não obedecer a nada a não ser o capricho do momento.

PROVÉRBIO ESPANHOL · Como é perfeito não fazer nada e depois descansar.

JEROME K. JEROME · Há muitas pessoas preguiçosas e muitos técnicos da lentidão, mas um verdadeiro ocioso é uma raridade.

F. SCOTT FITZGERALD · Algumas vezes eu penso que os ociosos parecem ser uma classe especial para a qual nada pode ser planejado, por mais que alguém peça (...).

D.E. MCCONNELL · Talvez a principal causa da infelicidade e dos horrores da vida social seja o ócio. A falta do que fazer é o que torna as pessoas más e infelizes. Isso alimenta o egoísmo, a fraude, a inveja, o ciúme e o vício, em todas as suas formas mais terríveis.

——— SOBRE PREGUIÇA E PREGUIÇOSOS cont. ———

JAMES THURBER · É melhor ter vadiado e perdido do que nunca ter vadiado.

W. F. HARGREAVES ·
Eu sou Burlington Bertie,
Eu me levanto às dez e meia
E passeio como um grã-fino.
Eu percorro a Strand
Com minhas luvas nas mãos,
Então a percorro de novo
    sem elas.
(Ver também p.32.)

LORDE CHESTERFIELD · O ócio é apenas o refúgio das mentes fracas.
(Ver também p.92.)

ISAAC WATTS · Eis a voz do mandrião, eu o ouvi se queixar: 'Você me acordou cedo demais, eu preciso cochilar de novo.'

SAMUEL JOHNSON · Durante toda minha longa vida permaneci na cama até meio-dia; mas digo a todos os jovens, e digo com toda sinceridade, que ninguém que não se levante cedo fará qualquer coisa de bom.

LORENZO DI COMO · Uma vida ociosa é um prêmio que precisa ser perseguido; ser ocioso é a quintessência da vida.

PROVÉRBIO CHINÊS · Sempre foi assim, jovens ociosos dão velhos arrependidos.

JEROME K. JEROME · Gosto do trabalho; me fascina. Posso ficar horas sentado olhando para ele. Eu gosto de tê-lo junto a mim; a ideia de me livrar dele quase parte meu coração.

——— ALGUMAS PROVAS DE RESISTÊNCIA ———

Prova	*descrição da insanidade*
Marathon des Sables†	*corrida de 151 milhas durante 6 dias no Saara*
Maratona do Everest	*maratona a uma altitude de 5.184m*
Ultramaratona do Polo Sul	*corrida de 45km com sapatos de neve*
Badwater	*135 milhas do vale da Morte até o monte Whitney*
Cornbelt Run	*corrida de 24 horas em uma pista de 400m*
JFK Ultra	*50 milhas com mais de 800 competidores*
Comrade's Marathon	*Durban a Pietermaritzburg, 89km*
Diabo das Montanhas	*43 milhas subindo e descendo montanhas escocesas*
Corrida na Selva	*200km em 7 dias pela floresta amazônica*
Corrida da autotranscendência	*maior corrida a pé do mundo, 3.100 milhas*
Espartatlona	*corrida histórica, de Atenas a Esparta, 246km*
Trilha do despenhadeiro	*corrida de 30km pelas montanhas Catskill*
Marcha de Góbi	*corrida de 7 dias e 155 milhas no deserto de Góbi*

† Nesta maratona um camelo garante que apenas aqueles capazes de seguir possam continuar. O camelo vai atrás, e qualquer corredor ultrapassado pelo animal é desclassificado.

— COMPASSOS E RITMOS DE DANÇAS DE SALÃO —

dança	*compasso*	*ritmo*
Valsa	3/4	bpm 30
Foxtrote	4/4	30
Quickstep	4/4	52
Tango	2/4	33
Valsa vienense	3/4	60

Rumba	4/4	27
Samba	2/4	52
Chá-chá-chá	4/4	32
Paso doble	2/4	62
Jive	4/4	44

[Fed. Int. de Dança Esportiva]

———— FUTEBOL: BRASIL X PORTUGAL ————

Arquibancada	Bancada
Atacante	Avançado
Auxiliar técnico	Adjunto
Cabeçada	Cabeceamento
Camisa	Camisola
Clássico	Derby
Classificação	Apuramento
Equipe	Equipa
Escanteio	Canto
Gandula	Apanha-bolas
Gol	Golo
Gol contra	Autogolo
Goleador	Marcador

Goleiro	Guarda-redes
Gol olímpico	Canto-directo
Gramado	Relvado
Impedimento	Fora de jogo
Marca do pênalti	Marca da cal
Pontapé	Chuto
Semifinais	Meias de final
Rebaixamento	Despromoção
Vestiário	Balneário
Técnico	Treinador
Torcedores	Adeptos
Torcida	Claque
Zero a zero	Nulo

———— ALGUNS APELIDOS DE BOXE ————

Jack '*O herói de Lancashire*' Carpenter · Ray '*Bum Bum*' Mancini
Bishop '*O contrabandista audaz*' Sharpe · '*Ferro*' Mike Tyson
Alec '*O esnobe de Chelsea*' Reid · Tom '*O carpinteiro de Bath*' Gaynor
Marvin Hagler† '*Maravilha*' · Tommy '*Matador*' Hearns
Rocky '*O garanhão italiano*' Balboa (ver p.35)
'*Fumegante*' Joe Frazier · Apollo '*O conde de Monte Punho*' Creed (ver p.35)
Jake '*Touro indomável*' LaMotta · Roberto '*Mãos de pedra*' Duran
Vinny '*O diabo da Pazmânia*' Pazienza · Joe '*O bombardeiro marrom*' Louis
'*Príncipe*' Naseem Hamed · Oscar '*O garoto de ouro*' de la Hoya
Tommy '*O terror de Tonypandy*' Farr
Larry '*O assassino de Easton*' Holmes · Donovan '*Navalha*' Ruddock
Peter '*Traseiro novo*' Crawley · James '*Esmaga-ossos*' Smith

† Marvin Hagler foi o incontestável campeão mundial na modalidade de pesos-médios entre 1980 e 1987, vencendo 13 de seus 15 combates na disputa pelo título e sendo derrotado apenas por '*Sugar*' (doce) Ray Leonard. Marvin se mostrava tão orgulhoso de seu apelido, que decidiu mudar oficialmente o nome para Marvelous.

CLASSIFICAÇÃO DO BUMERANGUE

Por todo o mundo, especialmente na Austrália e na América, bumerangues são lançados em várias modalidades, algumas das quais são:

PRECISÃO · os arremessos são feitos do centro de um conjunto de círculos marcados no chão. Os pontos são atribuídos dependendo de quão perto da mosca ele aterrissa.

TRUQUES · com uma só mão, atrás das costas, sob a perna, apanhado com os pés e assim por diante. (Os truques são feitos ao mesmo tempo com dois bumerangues.)

VOLTA AUSTRALIANA · testa a distância do arremesso, a precisão do retorno e a habilidade na recepção em cinco tentativas.

RECEPÇÃO RÁPIDA · fazer cinco arremessos e recepções o mais rápido possível com o mesmo bumerangue.

RESISTÊNCIA · implica fazer o maior número de arremessos possível em cinco minutos.

DUPLO · arremessar e receber dois bumerangues ao mesmo tempo.

MAIS TEMPO NO AR [MTA] · o arremesso que, entre cinco outros, permanece mais tempo no ar – o atual recorde é de 17 minutos e 6 segundos, de John Gorski, em Ohio, no dia 8 de agosto de 1993.

MALABARISMO · manter dois ou mais bumerangues no ar pelo maior tempo possível.

LONGA DISTÂNCIA · os pontos são atribuídos pela distância alcançada.

ESTILO LIVRE · com pontos atribuídos conforme a altura, a velocidade, o estilo e a elegância.

Muitos dos eventos são disputados em equipes com quatro integrantes. Um evento envolve três jogadores praticando RECEPÇÃO RÁPIDA enquanto o quarto joga MTA.

[A maioria dos eventos-padrão exige que cada bumerangue voe pelo menos 20 metros após lançado para ser considerado.]

ALGUMAS DAS ISCAS DE PESCA INFERIORES

Isca	Tipo de peixe
Sementes de maconha	Ruivo
Biscoitos de cães	Carpa e escalo
Milho verde	Carpa, barbo e tenca
Mortadela	Escalo, barbo e carpa
Queijo	Escalo
Boilies†	Carpa
Pasta de pão	Barbo e tenca
Minhoca	Perca
Marshmallows	Carpa
Casters‡	Bordalo, ruivo e escalo
Larvas	A maioria dos peixes
Lesmas	Escalo
Comida de gato	Carpa

† Massa com ovos, em pequenas bolotas duras, para que peixes pequenos não mordam.
‡ Larvas em estágio de crisálida. [Uma mesa como essa só pode incomodar os pescadores.]

ARREMESSO DE MASTRO

O arremesso de mastro é uma peça fundamental nos Highland Games. O mastro é um tronco de árvore (sem galhos) de tamanho não especificado – embora deva ter comprimento e peso que desafiem mesmo o atleta mais forte. (Às vezes os mastros são submersos à noite em pântanos próximos, para pesar mais.) Os atletas recebem o mastro na posição vertical, e o desafio é virar o tronco em uma revolução longitudinal perfeita de modo que o alto do mastro fique virado para eles. Um arremesso perfeito deve terminar em frente ao lançador, às '12 horas', sem se desviar para a esquerda ou a direita. Os arremessadores podem fazer três tentativas com um mastro, e a melhor é computada. Se não for possível arremessar um mastro novo, ele pode ser encurtado até que um atleta o consiga, e depois disso o mastro não pode mais ser modificado. Talvez o maior desafio tenha sido o mastro Braemar, que pesa 54,5kg e tem 5,79m de comprimento. Foi arremessado com sucesso pela primeira vez em 1951, por George Clark, de 51 anos de idade.

CHARADAS DE LIGAR OS PONTOS

Os 16 círculos podem ser ligados com 6 linhas retas; os 9 quadrados podem ser ligados com 4 linhas retas. (Em ambos os casos, as linhas devem ser contínuas.)

Veja as soluções na p.160.

OS QUINZE PONTOS DE UM BOM CAVALO

Wynkyn de Worde (m.1535), nascido na Alsácia, foi um dos pioneiros da impressão. Ele trabalhou na editora de William Caxton e assumiu o negócio quando Caxton morreu, em 1491. De Worde foi o primeiro impressor da Inglaterra a utilizar tipos itálicos. Numa das suas muitas publicações, De Worde enumerou os quinze pontos necessários de um bom cavalo:

Um bom cavalo deve ter três qualidades de um homem, três de uma mulher, três de uma raposa, três de uma lebre e três de um asno.

De um HOMEM. Audaz, orgulhoso e intrépido.
De uma MULHER. Peito largo, cabelo bonito e facilidade de movimento.
De uma RAPOSA. Rabo proporcionado, orelhas curtas e bom trote.
De uma LEBRE. Bom olho, cabeça seca e agilidade.
De um ASNO. Grande maxilar, pernas firmes e bons cascos.

———————— TERMINOLOGIA DAS APOSTAS ————————

Ação......o volume de dinheiro em um bolo; uma mesa de apostas altas

Acumulada....aposta que depende de uma sequência de acontecimentos

Agitar.....................apostar dinheiro que você ganhou (até perder)

Anão.........................mão de pôquer que não tem sequer um par

Âncora............o jogador à direita do banqueiro, que joga por último

Apostar o bolo...........................apostar um valor igual ao do bolo

Baralho frio (arranjado)..................baralho de cartas pré-organizado

Barba..............laranja de um jogador que quer permanecer anônimo

Batida ruim......................arrancar a derrota das presas da vitória

Calote...não pagar uma dívida

Carta da corte...............................Rei, Dama e Valete (ver p.34)

Cartas queimadas.....cartas eliminadas do baralho antes da distribuição

Carte blanche....................................mão sem cartas figuradas

Cobrir...................................no pôquer, pagar a última aposta

Comp.......incentivos 'grátis' dados pela Casa para grandes apostadores[†]

Escora...uma aposta ruim ou 'azarada'

Faites vos jeux...façam suas apostas

Forçando............acrescentar dinheiro recém-ganho à próxima aposta

Forçar......................................aumentar a aposta original de alguém

Franceses...jogadores aparentemente honestos que trapaceiam caso necessário

Gêmea...............peça de dominó com o mesmo valor dos dois lados

Giz..favorito

Guarde o seu...................................recuperar o investido

Linhas...chances

Lixo......................................pilha de cartas descartadas

Mão do pé.....................mão (desonesta) do final do baralho

Mão leve........mão de *blackjack* em que um ás é contado como um 11

Margem.....................a vantagem estatística da Casa em cada jogo

Ossos.............................termo coloquial para dados ou dominó

Parada....................soma colocada no bolo antes do início do jogo

Pedágio..........................a percentagem da Casa ou do *bookmaker*

Pescaria....continuar em um jogo na esperança de uma carta fundamental

Pilha..cartas não negociadas

Rien ne va plus..fim das apostas

Roubar.............ganhar um jogo blefando; ou, simplesmente, roubar

Suco..o lucro da Casa

Surto...................................uma sequência de vitórias

Trey...................................um três de qualquer naipe

Troco...gorjeta do crupiê

---

† Uma clássica expressão adotada pelos americanos para *comp* popular na cidade de Las Vegas é 'RFB', significando Room, Food & Beverages (Quarto, Comida e Bebida). (Ver também *Craps*, p.14; Chances com dois dados, p.106, e Dados viciados, p. 116.)

—— NOMENCLATURA DE CORES DE CAVALOS ——

Os códigos de cores de cavalos nos esportes equestres olímpicos são:

DU . . . . Ruço	PA . . . . Palomino	PB . . . . Malhado
AP . . . . Appaloosa	GR . . . . Cinza	LB . . . . Baio claro
BA . . . . Baio	CH . . . . Castanho	DC . . Castanho-escuro
BL . . . . Preto	DB . . . . . . Baio escuro	RO . . . . Ruano

—— CHANCES COM DOIS DADOS ——

n^o	modos		probabilidade	chances
12	1	(carros boxer)	0·0278	35/1
11	2		0·0556	17/1
10	3		0·0833	11/1
9	4		0·1111	8/1
8	5		0·1389	31/5
7	6		0·1667	5/1
6	5		0·1389	31/5
5	4		0·1111	8/1
4	3		0·0833	11/1
3	2		0·0556	17/1
2	1	(olhos de cobra)	0·0278	35/1

Pontuações conseguidas com dois dados iguais (isto é, 6 com 3 e 3, e não com 4 e 2 ou 5 e 1) são consideradas pontos ganhos 'da forma difícil'. Aqui, a probabilidade mostrada é a que seria dada por um *bookmaker*. 35/1 = 1 em 36.

—— REGRA 27 ——

A Regra 27 foi aprovada em 1902 pela Associação Atlética Gaélica, atendendo a uma onda de nacionalismo irlandês. A regra proibia os membros da AAG de disputar, assistir a ou promover qualquer esporte 'inglês' – como rúgbi, futebol, hóquei ou críquete. Qualquer um que violasse a 'Proibição' (como a Regra 27 ficou conhecida) seria suspenso. A suspensão mais polêmica aconteceu em 1938, quando o próprio presidente da Irlanda, Dr. Douglas Hyde, foi afastado da posição de patrono da AAG. O Dr. Hyde, apaixonado defensor da cultura e do idioma irlandeses, tinha sido obrigado a comparecer a uma partida internacional de futebol em função de seu cargo de presidente. Com o tempo a validade da regra foi cada vez mais questionada. Em 1968 um relatório foi encomendado para se examinar a situação política, e no Congresso da AAG de 1971 28 dos 32 condados acabaram votando pela abolição da Regra 27.

BOCHA, TRASEIROS E FANNY

A tradição da bocha determina que se uma equipe não consegue marcar um único ponto em uma partida deve se ajoelhar e beijar o traseiro nu da lendária voluptuosa 'Fanny' (*rotondités de la plantureuse Fanny*), cuja imagem pode ser encontrada em retratos e esculturas em muitos clubes de bocha.

GRAUS DE DIFICULDADE DO ESQUI

Região	Mais fácil	Média	Difícil	Mais difícil
Europa	(*verde*†)	*azul*	*vermelho*	*preto*
América do Norte	*verde* ○	*azul* □	*preto* ◊	*preto* ◊◊
América do Sul	*verde*	*azul*	*vermelho*	*preto*
Japão	*verde*	*verde*	*vermelho*	*preto*
Austrália, Nova Zelândia	*verde*	*azul*	*preto*	*preto*

† O verde costuma ser usado na França. [A classificação das pistas fica a cargo dos próprios resorts, e pressões comerciais podem influenciar a classificação. Por exemplo: há a tentação de promover certas pistas a preto por questão de prestígio e, inversamente, pistas que devolvem os esquiadores a seus aposentos são rebaixadas de modo a torná-las mais aceitáveis. Pistas marcadas com linhas interrompidas em preto, vermelho ou amarelo e preto podem significar 'descidas por itinerário', que são descidas fora de pista semioficiais, normalmente de grau de dificuldade preto, patrulhadas, mas não necessariamente transformadas em pistas.]

PETECAS

As petecas têm 16 penas fixadas numa base de cortiça. Essas penas† são retiradas de pato ou ganso, e devem ter entre 64 e 70 milímetros; suas pontas devem formar um círculo com diâmetro entre 58 e 68 milímetros; a base deve ser arredondada no fundo, com diâmetro de 25 a 28mm; a peteca deve pesar de 4,74 a 5,50 gramas. Elas são assim classificadas:

Velocidade	*peso*	*grão*	*utilização*
Lenta	4,8g	75	em altitude
Lenta média	4,9g	76	em climas quentes
Média	5g	77	no nível do mar
Rápida média	5,1g	78	em climas frios
Rápida	5,2	79	abaixo do nível do mar

Cada classificação aumenta em aproximadamente 30 centímetros a distância percorrida.‡ Grão é uma medida de peso alternativa usada pelos fabricantes, e corresponde a 64,8 miligramas.

† São usadas penas das duas asas, mas as melhores petecas têm penas de apenas um dos lados. As penas da asa esquerda costumam ser mais estáveis em voo. ‡ Para testar o voo de uma peteca, fique atrás da linha de fundo e dê um golpe com a palma da mão. Uma boa peteca deve cair a não menos de 530 e não mais de 990 milímetros da linha de fundo oposta.

SOBRE DEUS E OS DADOS

Os dados de Deus sempre dão sorte.
— SÓFOCLES (497–406 a.C.)

O diabo inventou os dados.
— SANTO AGOSTINHO (354–430 d.C.)

Os dados de Deus estão sempre viciados.
— RALPH WALDO EMERSON (1803–82)

Deus não joga dados com o Universo.
— ALBERT EINSTEIN (1879–1955), fazendo objeções à teoria quântica.

ALGUMAS MASCOTES DO FUTEBOL

América (RJ)	*Diabo*	Gama	*Periquito*
Atlético Mineiro	*Galo*	Grêmio	*Mosqueteiro*
Avaí	*Leão*	Internacional	*Saci*
Bangu	*Castor*	Ipatinga	*Tigre*
Botafogo	*Manequinho*	Joinville	*Coelho*
Bragantino	*Leão*	Juventude	*Papagaio*
Brasiliense	*Jacaré*	Londrina	*Tubarão*
Ceará	*Vovô*	Palmeiras	*Porco*
Corinthians	*Mosqueteiro*	Paraná	*Gralha Azul*
Coritiba	*Vovô Coxa*	Ponte Preta‡	*Macaca*
Criciúma	*Tigre*	Portuguesa	*Cachopa*
Cruzeiro	*Raposa*	Remo	*Leão Azul*
Figueirense	*Figueirinha*	Santa Cruz	*Cobra Coral*
Flamengo†	*Urubu*	Santos	*Baleia*
Fluminense	*Cartola*	Vasco da Gama	*Almirante Português*
Fortaleza	*Leão*	Vitória	*Leão*

† O urubu foi adotado pelo Flamengo em 1º de junho de 1969, quando um torcedor soltou uma ave no gramado do Maracanã. A mascote anterior era o marinheiro Popeye.
‡ A Ponte Preta, de Campinas, escolheu a macaca como mascote numa provocação à torcida do Guarani, que considerava os rivais – de origem mais humilde – 'uma macacada'.

SABEDORIA DO BOOKMAKER

Se você apostar nos favoritos, suas botas não terão cadarços.
Se apostar em azarões, não terá botas.

— JOE '*Rei do ringue*' THOMPSON, *bookmaker, c.*1860

MARCO POLO NA PISCINA

Na clássica brincadeira de piscina conhecida como *Marco Polo*, uma criança é selecionada para ser o primeiro Marco. Depois que todos os participantes estiverem na piscina, Marco fecha os seus olhos e grita 'Marco', ao que os outros deverão responder com 'Polo'. O objetivo é fazer com que Marco possa pegar outras crianças se guiando pelas vozes delas. Uma vez que outra criança tenha sido pega, é ela que deve fechar os olhos e assumir a função de Marco. Se Marco suspeita de que um dos participantes saiu da piscina, ele pode gritar 'peixinho fora d'água'.

AVIÃO DE PAPEL

BANHEIRAS QUENTES, BANHOS E EURECA!

Poucas coisas estimulam mais a preguiça do que um banho quente, e – descontando Arquimedes[†] – a banheira pode com justiça ser vista como uma promessa de alívio do esforço da vida cotidiana. Por isso os gladiadores vitoriosos se recuperavam nos banhos da Roma imperial e médicos esportivos costumam recomendar banhos quentes para o relaxamento após a partida. A seguinte classificação de temperatura da água do banho foi extraída da edição de 1904 de *Bathing Places and Climatic Health Resorts*, de B. Bradshaw:

Fria	5–10ºC	Morna	32
Fresca	15,5	Quente	37,1–40,4
Tépida	21,4–26,7	Quente pelando	46,4–51,7

'Banhos quentes por tempo excessivo são muito enervantes e normalmente devem ser seguidos por uma passada de esponja fresca sobre a pele.'

[†] Arquimedes (*c.*287–212 a.C.), o matemático de Siracusa, foi contratado pelo rei Hiero II para testar a pureza da coroa de ouro que o rei suspeitava ter sido forjada com metais inferiores. Arquimedes, observando que ao entrar na banheira parte da água transbordava, se deu conta de que um objeto flutuando em um líquido desloca um peso de líquido equivalente ao próprio peso. Como a prata é menos densa que o ouro, um quilo de prata tem mais volume que um quilo de ouro, e irá deslocar mais água. Assim Arquimedes pôde provar que a coroa de Hiero não era pura. Essa observação foi acompanhada pela famosa exclamação *Eureca!* – 'Eu descobri!', em grego.

SINAIS NO CRÍQUETE · DICKIE BIRD

LEG BYE   LARGO   BOLA MORTA

ÚLTIMA HORA   FORA!   SEM BOLA

SEIS   *BYE*   QUATRO

SINAIS NO CRÍQUETE · DICKIE BIRD

SHORT RUN	CANCELAR SINAL ANTERIOR	TV ÁRBITRO

5 *RUNS* PARA EQUIPE ARREMETENTE	BOLA NOVA	5 *RUNS* PARA EQUIPE BATEDORA

Harold 'Dickie' Bird MBE é quase com certeza o mais famoso árbitro de críquete a ter ficado atrás do taco. Tendo jogado críquete em Yorkshire e Leicestershire (sua melhor pontuação de primeira classe foi 181 sem sair contra Glamorgan), Dickie começou a arbitrar em 1966. Em 32 anos de carreira, comandou mais de 68 partidas internacionais e 92 partidas de seleções, e foi o primeiro homem a ter arbitrado três finais de Copa do Mundo.

— LEMA DA SOCIEDADE REAL DE SALVA-VIDAS —

QUEMCUNQUE MISERUM VIDERIS HOMINEM SCIAS
Quem você vir em dificuldade, veja nele um companheiro

———— CÉDULAS DE BANCO IMOBILIÁRIO ————

No início de toda partida da versão inglesa do jogo Banco Imobiliário, cada participante recebe 1.500 libras do banco, nas seguintes notas:

2 × £500 · 4 × £100 · 1 × £50 · 1 × £20 · 2 × £10 · 1 × £5 · 5 × £1

———— ESPORTES OLÍMPICOS ELIMINADOS ————
& DE DEMONSTRAÇÃO

No passado, vários esportes foram incluídos nos Jogos Olímpicos como modalidades de demonstração sem distribuição de medalhas, prática que foi abolida em 1992. Além disso, vários esportes perderam prestígio e não integram mais as Olimpíadas modernas. A relação reproduzida abaixo mostra esses esportes, assim como o último ano em que foram disputados:

ESPORTES DE DEMONSTRAÇÃO		ESPORTES ELIMINADOS	
Futebol americano	1932	Críquete	1900
Futebol australiano	1956	*Croquet*‡	1900
Bandy	1952	Golfe	1904
Polo de bicicleta†	1908	*Jeu de paume*	1908
Budô	1964	*Lacrosse*	1908
Corrida de trenó de cães	1932	Barco a motor	1908
Voo planado	1936	Polo	1936
Jeu de paume	1928	*Racquets*	1908
Korfball	1928	*Roque*	1904
Lacrosse	1948	*Rugby union*	1924
Patrulha militar	1948	Cabo de guerra	1920
Pelota basca	1992		
Hóquei sobre patins	1992	† A primeira e última partida de polo em	
Esqui de velocidade	1992	bicicleta foi disputada entre a Alemanha e a	
Esqui aquático	1972	Associação Irlandesa de Polo em Bicicleta.	
Pentatlo de inverno	1948	‡ Todos os concorrentes eram franceses.	

Apenas cinco esportes foram disputados em todos os Jogos desde 1896:

ATLETISMO · CICLISMO · ESGRIMA · GINÁSTICA · NATAÇÃO

Para que o COI reconheça um esporte (embora isso não garanta que será disputado nos Jogos), ele precisa atender aos seguintes requisitos mínimos:

Esportes masculinos .... *praticado em pelo menos 75 países em 4 continentes*
Esportes femininos .... *praticado em pelo menos 40 países em 3 continentes*
Esportes de inverno .... *praticado em pelo menos 25 países em 3 continentes*

– APELIDOS LONDRINOS PARA MÃOS DO BRIDGE –

Muitos termos são usados por jogadores mais descontraídos de bridge em Londres para descrever a mão com predominância de um naipe em especial:

OUROS	*Hatton Garden*	COPAS [Hearts][†]	*The Brompton*
PAUS	*St. James*	ESPADAS	*Kew Gardens*

† Batizado em função do Brompton Hospital – instituição em Londres especializada em cardiologia. Esse hospital provavelmente também é a fonte do infame Brompton Cocktail: uma mistura de morfina (ou heroína), cocaína, álcool, clorofórmio, água e agente de sabor, que certa vez foi receitado para aqueles que sofriam de dores terríveis de doença terminal.

———— SOLUCIONANDO O RESTA-UM ————

São relacionados aqui os movimentos necessários para resolver um jogo-padrão de 32 peças de resta-um – caso todos os outros deem errado.

```
      a  b  c  d  e  f  g
1            o  o  o
2            o  o  o
3      o  o  o  o  o  o  o
4      o  o  o  ⊙  o  o  o
5      o  o  o  o  o  o  o
6            o  o  o
7            o  o  o
```

Mova	para	coma				
d2 ⇒	d4	∴ d3	c7 ⇒	c5	∴ c6
f3 ⇒	d3	∴ e3	c2 ⇒	c4	∴ c3
e1 ⇒	e3	∴ e2	a3 ⇒	c3	∴ b3
e4 ⇒	e2	∴ e3	d3 ⇒	b3	∴ c3
c1 ⇒	e1	∴ d1	a5 ⇒	a3	∴ a4
e1 ⇒	e3	∴ e2	a3 ⇒	c3	∴ b3
e6 ⇒	e4	∴ e5	d5 ⇒	d3	∴ d4
g5 ⇒	e5	∴ f5	d3 ⇒	b3	∴ c3
d5 ⇒	f5	∴ e5	b3 ⇒	b5	∴ b4
g3 ⇒	g5	∴ g4	b5 ⇒	d5	∴ c5
g5 ⇒	e5	∴ f5	d5 ⇒	f5	∴ e5
b5 ⇒	d5	∴ c5	f4 ⇒	d4	∴ e4
c7 ⇒	c5	∴ c6	c4 ⇒	e4	∴ d4
c4 ⇒	c6	∴ c5	e3 ⇒	e5	∴ e4
e7 ⇒	c7	∴ d7	f5 ⇒	d5	∴ e5
			d6 ⇒	d4	∴ d5

O resta-um é um jogo disputado por um só jogador, e tem o grande mérito de poder ser jogado com igual prazer e desfrute por crianças, inválidos e – em seus momentos livres – por professores de matemática avançada.

— EDMOND HOYLE (1672–1769)

———— CÓDIGOS DE POSIÇÃO DE NETBALL ————

GS	Chutador a gol	WD	Lateral defensor
GA	Atacante	GD	Defensor
WA	Lateral atacante	GK	Goleiro
C	Central	*(Só GS & GA podem marcar gols)*	

CONTEMPLANDO O UMBIGO

O umbigo é a cicatriz redonda localizada no abdômen onde originalmente ficava preso o cordão umbilical. Desde o início dos tempos
o umbigo tem sido objeto de uma forma reflexiva de contemplação
filosófica conhecida como onfalopsiquismo. Talvez seja assim porque o
umbigo literalmente representa o local do nascimento, ou talvez porque
seja onde o olhar naturalmente repousa quando a pessoa está reclinada
nua. Houve vários grupos de onfalópsicos ao longo da história, dos quais
o mais famoso teria sido o dos hesicastas, uma seita de quietistas que (a
partir de *c.*1050 d.C.) praticou a contemplação do umbigo para induzir
um devaneio hipnótico. Acreditavam que, por intermédio de um regime
de ascetismo, devoção e contemplação do corpo, poderia ser vista uma luz
mística – nada menos que a não criada luz divina de Deus. A questão de
Adão e Eva terem ou não umbigo (considerando-se que eles foram criados
por Deus) constrangeu os teólogos. Alguns artistas célebres, como Albrecht
Dürer e William Blake, escolheram retratar Adão e Eva *com* umbigo.

MARGENS EM CORRIDAS DE CAVALO

O esquema a seguir mostra a ordem de margens de vitória em corridas:

nariz
meia cabeça
cabeça
pescoço
meio corpo
corpo
distância

Um *corpo* é a distância do nariz do cavalo ao início do rabo (aproximadamente 2,4 metros). Nas corridas profissionais, as margens tendem a ser
medidas em tempo: em corrida rasa, 1 segundo = 5 *corpos*; em corrida
com saltos, 1 segundo = 4 *corpos*. O termo *distância* costuma ser usado
pelos aficionados para descrever uma margem superior a 30 *corpos*.

TOUROS PERDOADOS

Nas touradas, um *indulto* é um perdão dado a um touro pelo *presidente*
da tourada por ter ele demonstrado extraordinária bravura. Entre os *toros
célebres* (touros famosos) que receberam *indulto* estão: Algareño, Civilón,
Gordito (que matou 21 cavalos em uma luta em 1869) e Jaquetón –
cujo nome foi dado como apelido a outros touros considerados corajosos.

—————————— PAC MAN ——————————

O nome *Pac Man* tem origem no termo japonês *'paku paku'*, que se refere ao movimento de abrir e fechar da boca enquanto se come. (O jogo original era chamado de *Pukman*, mas foi logo modificado para o mercado ocidental quando ficou clara a facilidade com que a letra inicial podia ser modificada para produzir um efeito obsceno.) O projetista do jogo, Toru Iwatani, alega que a inspiração para o personagem surgiu quando viu uma forma de pizza com uma fatia retirada, partindo daí o casamento do jogo baseado em labirintos com consumo de comida. Para subir de nível o *Pac Man* precisa engolir os 240 *pontos* e 4 *energizadores* que enchem cada labirinto enquanto é perseguido por 4 *fantasmas* que irão eliminar uma de suas três vidas sempre que tocarem nele. *Pac Man* ganha pontos de bônus comendo *frutas* e *prêmios* quando eles aparecem, e comendo os *fantasmas* quando os *energizadores* os deixam temporariamente vulneráveis (e azuis). Os *fantasmas* são conhecidos por vários nomes e apelidos:

Nome japonês	Apelido japonês		Nome inglês	Apelido inglês
Oikake	*Akabei* .... VERMELHO		Shadow	*Blinky*
Machibuse	*Pinky* .... ROSA		Speedy	*Pinky*
Kimagure	*Aosuke* .... AZUL		Bashful	*Inky*
Otoboke	*Guzuta* ...... LARANJA		Pokey	*Clyde*

Cada fantasma tem uma personalidade diferente: *Pinky* é elegante; *Blinky* tende a sair em perseguição; *Inky* é tímido, algumas vezes chegando a fugir de *Pac Man*; e *Clyde* é apenas muito lento. Algoritmos complexos permitem que os fantasmas se reúnam em ataques conjuntos e depois se separem – uma tentativa dos programadores de evitar que os jogadores ficassem desestimulados. O Santo Graal do *Pac Man* 'clássico' (que deu origem a uma série de filhotes) é comer todos os *pontos*, todos os *energizadores*, todos os *fantasmas* azuis e todos os *prêmios* e *frutas* em todos os 256 níveis sem perder nenhuma vida.[†] No dia 3 de julho de 1999, Billy Mitchell se tornou o primeiro a conseguir esse feito, jogando durante seis horas com uma única ficha.

† Tudo que *Pac Man* engole tem um valor: *pontos* = 10 pontos; *energizadores* = 50 pontos; *fantasmas azul-escuros* = 200, 400, 800 e 1.600, respectivamente; *cerejas* = 100; *morangos* = 300; *pêssegos* = 500; *maçãs* = 700; *uvas* = 1.000; *galáxias* = 2.000; *sinos* = 3.000; *chaves* = 5.000. Assim, a pontuação de Billy Mitchell no *Pac Man* foi de impressionantes 3.333.360 pontos.

—————————— EMPURRÃO ——————————

Ilegal na sinuca mas permitido no bilhar, o EMPURRÃO acontece quando a ponta do taco está tocando na branca enquanto a branca toca na bola-alvo.

DADOS VICIADOS

Desde que têm sido usados para jogos e apostas, os dados são marcados (*trampeados*) por trapaceiros de diversas formas diferentes. *Dados carregados* são aqueles com peso aumentado – frequentemente com alguma substância (como mercúrio), que pode ser colocada em diferentes lados para favorecer determinado número (daí o apelido *recheados* ou *mijados*). Um *dado morto* é carregado no 5, de modo que o 2 apareça com mais frequência. *Dados flutuantes* seguem o mesmo princípio, mas com áreas escavadas no interior para favorecer determinado resultado. (*Flutuantes* frequentemente podem ser identificados quando colocados em um copo d'água.) *Bonés, dados de mel, escorregas* ou *bolas de borracha* têm uma ou mais faces cobertas com um material não aderente (ou ganham uma superfície áspera), de modo a alterar a adesão à superfície da mesa. *Formas* são qualquer dado que não seja um cubo perfeito – e há muitas variedades: *chatos* têm um ou mais lados raspados; *chanfrados* têm um ou mais cantos arredondados. Dados com *trabalho de borda* são serrados, raspados ou cortados de forma a influenciar o movimento, mas são pouco confiáveis para os trapaceiros e podem ser facilmente identificados pelos outros. Desde cerca de 1400 a.C. os lados opostos de dados de seis lados somam sete da seguinte forma: 6 oposto a 1; 5 oposto a 2; 4 oposto a 3. Conse-

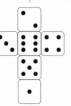

um dado honesto

quentemente, a forma mais grosseira de todos os dados *viciados* é aquela em que eles simplesmente são montados de uma forma diferente. Genericamente esses dados são conhecidos como *Cavalos, Ts* ou *Demolidores*, mas há muitas subcategorias: *Altos e Baixos*, que nunca irão dar o número certo; *Door Pops*, que sempre dão 7 ou 11 a cada lançamento, sucessivamente. Dados *Número Alto* e *Número Baixo* são muitas vezes utilizados em jogos como gamão, em que resultados altos são mais úteis. Quando o *trapaceiro* introduz um ou mais dados *viciados* em um jogo (técnica conhecida como *cortar*), aqueles que participam da fraude muitas vezes podem identificar o dado falso (*tijolo*) olhando para a face do 3, que frequentemente é marcada de modo a se mostrar aos envolvidos. Na Inglaterra do século XVI dados viciados eram conhecidos como *Gourds* ou *Fulhams* em função do decadente subúrbio de Londres famoso por seus trapaceiros e seus dados viciados. Se fraudados para produzir números altos (5 a 12), eram conhecidos como *Fulhams* ou *Gourds Altos*; para 1 a 4, eram chamados de *Fulhams* ou *Gourds Baixos*. Como Shakespeare escreveu em *As Alegres Comadres de Windsor*:

Que os abutres comam suas tripas!
Pois *gourd* e *fullam* levam
E 'alto' e 'baixo' enganam
os ricos e os pobres.

CRÍQUETE DE PUB

O jogo 'críquete de pub' foi concebido para ajudar a passar o tempo em longas e tediosas viagens de carro. Cada jogador tem um *inning* e marca uma corrida para cada perna (animal ou humana) vista nas placas de pub no caminho. Os jogadores são 'apanhados' se perderem uma placa vista por outro jogador, ou 'eliminados' caso anunciem uma placa que não mostre pernas.

Entre outros jogos clássicos de carro estão 'Eu espiono com meu olhinho'; 'Eu ouço com meu ouvidinho'; e 'pôquer de placa de carro', em que os números das placas são usados para formar a melhor mão de pôquer. (O jogo críquete de púlpito é baseado na identificação de tiques verbais de prega-dores, atribuindo 6, por exemplo, a 'de uma forma muito real'.) Contudo, os ver-dadeiros aficionados desprezam esse pas-satempo, preferindo manter os olhos aber-tos para aqueles veículos que carregam o símbolo vermelho e branco da transpor-tadora europeia Norbert Dentressangle.

CORES PARA CÃES DE CORRIDA GREYHOUND

	Vermelho	Rosa	Branco	Preto	Laranja	Preto e branco	Amarelo	Azul	Verde	Verde e branco	Amarelo e preto
Grã-Bretanha	1		3	4	5	6		2			
Austrália	1	8	3	7			2	5	4	6	
Irlanda	1		3	4	5	6		2			
EUA	1		3	5			6	2	4	7	8
Espanha	1		3	4	5	6		2			

CORDA DE CABO DE GUERRA

De acordo com a Federação Internacional de Cabo de guerra:
A corda não pode ter menos de 10 centímetros (100 milímetros), ou mais de 12,5 centímetros (125 milímetros) de circunferência, e deve ser livre de nós ou outros pontos de apoio para as mãos. As extremidades da corda devem ter uma terminação desfiada. A corda não deve ser inferior a 33,5 metros.

PESO MÉDIO DE CAÇAS etc.

Galo silvestre . 1,47–1,58kg

Tetraz-grande-das-serras . . . 2,7–3,1kg

Narceja 56–84g

Maçarico 110–140g

Galo 680–900g

Lebre 2,95–3,1kg

Narceja-pequena . . 680–900g

Abibe 110–140g

Perdiz 370–400g

Faisão 1,150–1,360kg

Ptármiga 450–680g

Codorna 100g

Coelho 680g–1,360kg

Marreco 680–790g

A HIERARQUIA SOCIAL DA FALCOARIA

A falcoaria é uma das mais antigas atividades a serem chamadas de o Esporte dos Reis (ver p.140) – e desde sua introdução na Grã-Bretanha (ver p.12) o esporte está entranhado na hierarquia de classes do país. Em seu idiossincrático livro de 1486 *Book of St. Albans*, *Dame* Juliana Berners apresenta uma hierarquia de aves e a posição social a que elas se adequavam:

ÁGUIA, ABUTRE ou MERLOUN para um IMPERADOR

GERIFALTE para um REI

FALCÃO FÊMEA para um PRÍNCIPE

FALCÃO DAS ROCHAS para um DUQUE

FALCÃO-PEREGRINO para um CONDE

BUSARDO para um BARÃO

FALCÃO SACRE para um CAVALEIRO

ALFANEQUE para um ESCUDEIRO

ESMERILHÃO para uma DAMA

TAGAROTE para um jovem HOMEM

AÇOR para um DONO DE TERRAS

TREÇÓ para um HOMEM POBRE

GAVIÃO para um PADRE

GAVIÃO MACHO para um SACRISTÃO DA ÁGUA BENTA

PENEIREIRO para um VALETE

OS DOZE DA LIGA DE FUTEBOL

Abaixo, os doze times originais integrantes da Liga de Futebol inglesa, fundada em 1888 por incentivo de William McGregor (do Aston Villa):

Accrington FC.. *(fundado em)* 1878	Everton	1878
Aston Villa	1874	Notts County	1862
Blackburn Rovers	1875	Preston North End	1881
Bolton Wanderers	1874	Stoke	1863
Burnley	1882	West Bromwich Albion	1878
Derby County	1884	Wolverhampton Wanderers.. 1877

O JOGO IMORTAL

Disputado entre dois professores de matemática, Adolf Anderssen e Lionel Kieseritzky, no Chess Divan de Simpson's-in-the-Strand em 1851, o Jogo 'Imortal' se tornou uma das mais famosas batalhas do xadrez (embora alguns questionem se ela justifica tal fama). Em sua época Anderssen era considerado um dos mais fortes participantes de torneios do mundo e seu ousado sacrifício de um bispo, duas torres e sua rainha para forçar o xeque-mate foi considerado simultaneamente criativo e ousado. Wilhelm Steinitz declarou: 'Neste jogo há quase uma continuidade de brilhantismos, cada um dos quais traz a marca de gênio intuitivo que poderia ter tido pouca ajuda de cálculos, já que o ponto de encontro surge apenas ao final.' Ernst Falkbeer deu ao jogo seu apelido em 1855, embora a verdadeira imortalidade tenha sido garantida de diversas formas. Em 1984 o Suriname lançou um selo de 90 centavos com uma imagem do tabuleiro depois do 20º movimento; uma versão do final do jogo é interpretada por Sebastian e Tyrell no filme *Blade Runner*, de Ridley Scott, de 1982; e desde 1923 os moradores de Marostica, na Itália, interpretam o jogo em um tabuleiro gigantesco com peças humanas.

Anderssen [brancas] · Kieseritzky [pretas]

1....e4........e5	13..h5......Qg5
2....f4......exf4	14..Qf3.....Ng8
3....Bc4...Qh4+	15..Bxf4.....Qf6
4....Kf1.......b5	16..Nc3.....Bc5
5....Bxb5....Nf6	17..Nd5...Qxb2
6....Nf3....Qh6	18..Bd6...Bxg1
7....d3......Nh5	19..e5...Qxa1+
8....Nh4....Qg5	20..Ke2....Na6
9....Nf5......c6	21..Nxg7+..Kd8
10..g4.......Nf6	22..Qf6+...Nxf6
11..Rg1....cxb5	23..Be7#....1-0
12..h4......Qg6	*Ver p.80 para notação.*

Curiosamente, as fontes divergem em seu relato das jogadas, e algumas afirmam que Kieseritzky na verdade desistiu após a 20ª rodada. A ilustração abaixo mostra a disposição final do tabuleiro após Anderssen ter conseguido o mate na 23ª jogada.

VERMES DO ÓCIO

Dizia-se que vermes ('vermes do ócio') nasciam nos dedos de empregados preguiçosos, ao que Shakespeare alude em *Romeu & Julieta* [I. iv.]:

'Um verme redondo tirado do dedo preguiçoso de uma empregada'

──── TRAPAÇAS E ESPÍRITO ESPORTIVO ────

TONYA HARDING planejou para que sua rival Nancy Kerrigan fosse incapacitada por um assaltante antes do Campeonato Nacional de Patinação dos Estados Unidos de 1994.

O TIME DE BASQUETE DE DEFICIENTES MENTAIS ESPANHOL conquistou o ouro nas paraolimpíadas de 2000. Contudo, foi dito que 10 dos 12 integrantes não eram portadores de nenhuma deficiência.

Na aventura de Tintim *Voo 714 para Sidney*, o milionário LASZLO CARREIDAS trapaceia em uma partida de batalha-naval ao espionar o jogo do capitão Haddock por meio do circuito interno de TV do seu jato. Contudo, o avião é sequestrado sem que Carreidas termine a partida.

AURIC GOLDFINGER, vilão de um dos filmes de James Bond, trapaceia não apenas com as cartas (ver p.18), mas também no golfe. James o vence nas duas ocasiões – no campo de golfe substituindo o Slazenger 1 de Goldfinger por um Slazenger 7: '(...) estamos jogando com regras rígidas, então temo que você tenha perdido o buraco e a partida.'

STELLA WALSH quebrou vinte recordes mundiais, ganhou o ouro nos 100m nas Olimpíadas de 1932 e entrou para o Hall da Fama da Corrida dos EUA. Porém, necropsia feita após seu assassinato revelou que Walsh sofria de rara doença genética chamada mosaicismo, que dava a 'ela' órgãos sexuais masculinos e cromossomos dos dois sexos.

ROSIE RUIZ foi a primeira mulher a terminar a Maratona de Boston em 1980 – depois de juntar-se à prova a apenas 800 metros do final. (Ruiz só se classificara para a corrida de Boston após ter feito um tempo rápido na maratona de Nova York, quando tinha tomado o metrô.) Ruiz pode ter se inspirado em FRED LORZ, que venceu a maratona dos Jogos Olímpicos de St. Louis em 1904 'correndo' 17 quilômetros como passageiro em um carro.

Uma antiga trapaça do golfe é 'rastejar polegadas', quando os jogadores colocam suas bolas mais perto do buraco ao fazerem a marcação no *green*. Em 1985 um golfista escocês foi excluído do golfe profissional por 20 anos pela PGA por 'rastejar' sua bola em até 6 metros.

WILLIAM WEBB ELLIS, aluno da escola Rugby, costuma (embora quase com certeza equivocadamente[†]) receber o crédito pela criação do jogo de rúgbi em 1832, quando, trapaceando durante um jogo de futebol, pegou a bola e correu com ela. A escola festeja o ato, classificado de 'belo desrespeito às regras'. Contudo, o jovem William foi descrito por seus contemporâneos como 'uma pessoa que tendia a levar vantagens injustas no futebol'.

† Há muitas dúvidas em relação a essa história, e não apenas porque ela parece nunca ter sido narrada pelo próprio Webb Ellis. Independentemente disso, havia muitos jogos semelhantes antes da trapaça de William, incluindo *Harpastum*, jogo romano que envolvia disputar a bola no chão e carregá-la.

———— TRAPAÇAS E ESPÍRITO ESPORTIVO cont. ————

Durante a excursão de 1932–3 do Ashes, o título bianual de críquete disputado entre Austrália e Grã-Bretanha, o capitão inglês Douglas Jardine utilizou a controvertida técnica de arremesso chamada LINHA DO CORPO (também conhecida como 'teoria da perna') em uma tentativa de conter o talento devastador do batedor australiano Don Bradman. Arremessadores rápidos como Harold Larwood e Bill Voce foram instruídos a lançar bolas curtas e rápidas diretamente contra o corpo do batedor – uma tática que deixava aos australianos a inevitável escolha entre serem atingidos pela bola ou arriscarem uma interceptação fácil pela legião de jogadores que Jardine tinha colocado perto, ao lado da perna. Embora a tática da Inglaterra não tivesse sido exatamente trapaça, foi condenada por muitos como o cúmulo do jogo antiesportivo. O capitão da Austrália, Bill Woodfull, disse: 'Há dois times aqui. Um está tentando jogar críquete.' Por outro lado, quando a bola rápida de Larwood derrubou Woodfull com um golpe no coração, o capitão Jardine debochou: 'Bem lançado, Harold!' Em resposta à 'teoria da perna' as regras do críquete foram modificadas para limitar o número de jogadores atrás do batedor.

DIEGO MARADONA escandalosamente marcou um gol aos 7 minutos do segundo tempo contra a Inglaterra na Copa de 1986 com a mão. Depois ele alegou: 'Foi em parte a mão de Maradona e em parte a mão de Deus.'

Nas décadas de 1970 e 80 a ALEMANHA ORIENTAL de repente começou a rivalizar com os EUA e a URSS no quadro de medalhas. Descobriu-se que em seu desespero para provar a superioridade oriental o Estado tinha financiado o consumo de drogas, dizendo aos atletas que eram vitaminas.

Durante o *Tour de France* de 1978 o ciclista MICHEL POLLENTIER utilizou um sistema de tubos de borracha para fornecer uma falsa amostra de urina. O *Tour de France* de 1998 foi apelidado de *Tour do Doping* após 234 doses da droga EPO terem sido encontradas em um carro da equipe Festina.

Oito integrantes do time de beisebol CHICAGO WHITE SOX foram acusados de 'entregar o jogo' da World Series de 1919 em troca de grandes subornos de uma gangue de apostadores. Alguns jogadores confessaram, incluindo 'Shoeless' Joe Jackson, e todos os oito foram suspensos.

Em 1981, quando a Austrália jogava contra a Nova Zelândia em uma partida da World Cup Series no MCG, a Nova Zelândia precisava de seis *out* na última bola para vencer a partida. Em um ato de suprema esportividade, o capitão australiano GREG CHAPPELL instruiu seu irmão Trevor a arremessar com o antebraço uma bola arrastada ao longo da grama, impedindo o número 10 da Nova Zelândia, Brian McKechnie, de marcar um 6.

———— LÂMINAS DE ESGRIMA E SEUS ALVOS ————

O FLORETE é a versão moderna de uma espada projetada para facilitar a prática do duelo. É a mais leve das três armas. A área visada é o torso (frente e costas), excluindo a cabeça. Os pontos só são válidos quando marcados com a ponta da lâmina.

A ESPADA é a versão moderna da espada de duelo, e a mais pesada das três armas. Tem como alvo todo o corpo, e quem acertar primeiro marca um ponto (se os dois lutadores marcarem ao mesmo tempo, ambos recebem um ponto).

O SABRE é a versão moderna da espada de cavalaria, projetada como arma de corte. A área visada reflete a de um cavaleiro e compreende tudo acima da cintura, incluindo cabeça e braços. São aceitos toques com a ponta ou com as laterais cortantes.

peso <500g
lâmina 90cm

peso <770g
lâmina 90cm

peso <500g
lâmina 88cm

———— PONTUAÇÃO DO BILHAR ————

Carambola		2
Encaçapar a branca		2
Suicídio da branca		2

Encaçapar a vermelha		3
Suicídio da vermelha		3

Se numa só tacada, todas são marcadas.

Suicídios com uma carambola marcam, além da carambola, o seguinte:

Se a vermelha for atingida antes pela tacadeira 3
Se a branca-alvo for atingida antes 2
Se ambas as bolas-alvo forem atingidas simultaneamente 2

CRUZADOS APOSTADORES

Em 1190 os reis Ricardo I e Felipe da França fizeram um édito conjunto regulamentando as apostas em jogos de azar por membros dos exércitos de cruzados cristãos. Nenhuma pessoa abaixo da patente de CAVALEIRO podia praticar qualquer jogo a dinheiro; CAVALEIROS e CLÉRIGOS podiam fazer apostas inferiores a 20 xelins por dia e noite; o MONARCA, claro, podia jogar fazendo as apostas que quisesse, mas seus ajudantes eram obrigados a manter as apostas em 20 xelins. Se algum deles excedesse essa quantia, deveria ser chicoteado nu pelas fileiras da tropa durante três dias inteiros.

COLECIONADORES E SUAS COLEÇÕES

Colecionador	*Coleciona*
antiquário	antiguidades
bibliófilo	livros
caranguejista	caranguejos
cartófilo	cartões-postais
chiffonier	retalhos de tecido
conquiliologista	conchas
discófilo	gravações de gramofone
filatelista	selos
incunabulista	livros antigos
logófilo	palavras
miniaturista	miniaturas
nasquinista	pasquins, sátiras
notadílico	notas
numismata	moedas
passadista	objetos históricos
rapsodista	peças literárias
refuguista	refugos, farrapos

PALL MALL

O jogo 'Pall Mall' (também Pell Mell, Palle-malle, Paille Maille, Pelemele ou Jeu de Mail) surgiu na Itália no século XVI. Chegou à Inglaterra, via França, aproximadamente na época da coroação de Carlos I, e foi rapidamente adotado pela aristocracia. A primeira alameda Pall Mall real foi construída dentro do St. James Park, mas as nuvens de poeira levantadas pelas carruagens no caminho entre o palácio e Charing Cross começaram a escurecer as bolas. Consequentemente, em 1661 foi construída uma nova alameda entre duas fileiras de olmos ao norte do primeiro local. Originalmente chamada de Catherine Street (em homenagem a Catarina de Bragança), a alameda era conhecida como Pall Mall, um coloquialismo que resiste até hoje. O jogo propriamente dito era uma espécie de golfe que envolvia bater em uma bola de madeira ao longo de uma alameda (cerca de 700 metros) com um malho, depois a erguer com um suporte em forma de colher para passá-la por um anel de ferro suspenso acima do solo. O jogador que conseguisse passar a bola pelo anel com o menor número de batidas (ou dentro de um limite estabelecido de batidas) era declarado vencedor. Samuel Pepys presenciou um Pelemele pela primeira vez em 2 de abril de 1661, quando deparou com um jogo com a participação do duque de York.

—————— ESPECIFICAÇÕES DO DISCO OLÍMPICO ——————

♂ peso 2kg; diâmetro 219–21mm · ♀ peso 1kg; diâmetro 180–2mm

—————— CLASSIFICAÇÃO DE ESPORTISTAS 'CEGOS' ——————

Em uma tentativa de impedir trapaças e garantir uma competição justa, organizações esportivas de deficientes fazem testes médicos para avaliar o grau de deficiência de homens e mulheres. Por exemplo: avaliando o melhor olho de um atleta com a maior correção possível, a Federação Internacional de Esportes para Cegos (IBSF, na sigla em inglês) classifica os cegos e deficientes visuais nos quatro grupos seguintes:

[NOE] · Não aceitos (*not eligible*): acuidade visual acima de 6/60 e/ou campo visual de mais de 20 graus.

[B3] · De acuidade visual acima de 2/60 a acuidade visual de 6/60 e/ou campo visual superior a 5 graus e inferior a 20 graus.

[B2] · Da capacidade de reconhecer a forma das mãos à acuidade visual de 2/60 e/ou campo visual inferior a 5 graus.

[B1] · Total ausência de percepção da luz nos dois olhos, ou alguma percepção da luz, mas incapacidade de reconhecer a forma das mãos a qualquer distância ou em qualquer direção.

—————— MALHAÇÃO NO CRÍQUETE ——————

Como em todos os esportes competitivos, a intimidação verbal e as agressões há muito são uma característica do críquete (ver W.G. Grace, p.73). Aparentemente, porém, na década de 1970 essa tática se tornou ainda mais agressiva (e, alegam alguns, organizada) na forma de 'malhação', com lançadores e interceptadores sustentando uma avalanche de invectivas agressivas e obscenas na direção do batedor adversário. (O termo derivaria de 'martelo de forja, malho', um indício da sutileza do ataque, bem como do efeito pretendido.) Embora a Austrália seja a mais associada à malhação, as agressões verbais não estão de modo algum limitadas a esse país, e muitos jogadores falaram de forma disfarçada sobre 'degradação mental' como elemento da estratégia de seus times. Dito isso, Merv Hughes alegou que: 'Se ele é mentalmente fraco e eu não tento pressionar esse seu lado do jogo, então não estou fazendo meu trabalho.' O técnico australiano Bob Hawke alegou: 'Não acho que nossos rapazes tenham jogado de forma injusta; eles não trapacearam, mas fizeram uma pressão bastante razoável.' Mike Brearley, por outro lado, denunciou a malhação como 'uma aberração absolutamente desagradável do jogo, estéril, sem humor e inaceitável'. Geoff Boycott, aparentemente, disse certa vez: 'Eles usam palavras que nunca ouvi antes.'

CAÇA-NÍQUEIS

A Comissão de Apostas do estado de Nevada, nos EUA, assim define em sua regulamentação o que viria a ser oficialmente uma máquina caça-níqueis:

(...) qualquer equipamento, dispositivo ou máquina, mecânico, elétrico ou outro, que, com a inserção de uma moeda, nota, ficha ou objeto similar, ou a partir do pagamento de qualquer espécie, é capaz de jogar ou operar, e cujo jogo ou operação, seja por habilidade do operador, seja por aplicação do elemento fortuito, pode dar ou garantir à pessoa que joga ou opera a máquina o recebimento de dinheiro, prêmios ou mercadorias, fichas de qualquer valor, quer o pagamento seja feito automaticamente a partir da máquina, quer de alguma outra forma.

A NORUEGA E O ÓCIO

Segundo dados da Organização para a Cooperação e o Desenvolvimento Econômico, a Noruega é o país ideal para morar se o seu objetivo for permanecer ocioso. Ali, a 'média anual de horas de trabalho' por pessoa é de 1.337 – comparada a 1.792, nos EUA, e 2.390, na Coreia do Sul:

país	horas	± EUA
Alemanha	1.446	–346
Austrália	1.814	+22
Canadá	1.718	–74
Coreia	2.390	+598
Dinamarca	1.475	–317
Estados Unidos	1.792	—
França	1.431	–361
Grécia	1.938	+146
Holanda	1.354	–438
Irlanda	1.613	–179
Itália	1.591	–201
Japão	1.801	+9
México	1.857	+65
Noruega	1.337	–455
Reino Unido	1.673	–119

Noruega

Oslo

OECD Factbook 2005

BANCO IMOBILIÁRIO

No início de cada partida de Banco Imobiliário, cada jogador recebe $2.458,00 do banco, distribuídos da seguinte forma:

2 × $500 · 8 × $100 · 10 × $50 · 10 × $10 · 10 × $5 · 8 × $1

———— SOBRE PREPARO FÍSICO E EXERCÍCIO ————

MARK TWAIN · Nunca fiz qualquer exercício, a não ser dormir e descansar, e não pretendo fazer nenhum. Exercício é repugnante. E não pode render benefício algum quando você está cansado; e eu sempre estava cansado.

ROBERT MAYNARD HUTCHINS · Sempre que sinto falta de exercício, eu me deito um pouco e ela passa.

ANNA QUINDLEN · Em relação ao exercício penso o mesmo que em relação a outras coisas: não há nada de errado, desde que feito em privacidade por adultos conscientes.

BARBARA EHRENREICH · O exercício é a versão yuppie da bulimia.

HENRY FORD · Não tem sentido fazer exercício – se você é saudável, não precisa dele. E se você está doente, não deve fazer.

JOHN F. KENNEDY · Nossa flacidez crescente, assim como o agravamento de nossa falta de preparo físico, é uma ameaça à nossa segurança.

NEIL ARMSTRONG [atrib.] · Acredito que todo ser humano tem um número finito de batimentos cardíacos. Não pretendo desperdiçar nenhum dos meus correndo e fazendo exercícios.

BARRY GRAY · Faço exercício ao correr para o funeral de meus amigos que se exercitam.

———— QUEIMA DE CALORIAS ————

Calorias queimadas a cada minuto por pessoas com cerca de 70 quilos:

Sentado quieto... 1–2	Ioga 4–6	Patinação no gelo. 7–9
Sinuca............. 2–6	Dança............. 4–6	Pular corda....... 7–9
Caminhada 2–6	Pular corda....... 4–7	Dança folcórica. 7–10
Frisbee............. 3–5	Badminton....... 5–6	Tênis............. 7–12
Pescaria............ 3–6	Aula de aeróbica. 5–9	Futebol 7–13
Golfe.............. 3–6	Pingue-pongue... 6–7	Basquete........ 8–11
Críquete.......... 3–7	Esqui aquático... 6–9	Corrida 8–13
Salto (trampolim) 3–9	Sexo............. 6–11	Artes marciais .. 8–13
Esgrima 4–6	Natação......... 6–12	Squash 8–13
Ginástica........ 4–6	Tênis............. 7–9	Polo aquático... 8–13

Esses números são aproximados e variam em função de uma série de fatores, do vigor da ginástica à inclinação da ladeira subida ou ao peso dos tacos de golfe carregados. Para cada meio quilo acima de 70, acrescente 10%; para cada meio quilo abaixo de 70, subtraia 10%. Com 'c' minúsculo, caloria é o volume de energia necessário para aquecer 1g de água a 1°C. Com 'C' maiúsculo (kilocaloria, ou 1.000 calorias), é o volume de energia necessário para aquecer 1kg de água a 1°C, ou 4,2kJ. [Infelizmente, 1 bomba de chocolate = *c*.190 Calorias.]

—————— 'CURLING' ——————

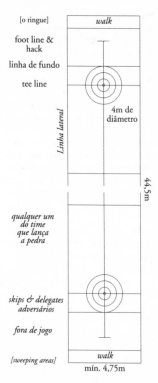

[o ringue]
walk
foot line & hack
linha de fundo
tee line
Linha lateral
4m de diâmetro
44,5m
qualquer um do time que lança a pedra
skips & delegates adversários
fora de jogo
[sweeping areas]
walk
mín. 4,75m

O *curling* nasceu na Escócia, onde era jogado em lagos congelados. Como uma bocha gelada, duas equipes de quatro integrantes disputam o melhor de 8 '*ends*'. O objetivo de cada *end* é colocar o maior número de pedras na área de pontuação, usando uma estratégia para marcar o máximo possível, expulsando da 'casa' ou a bloqueando para as pedras do adversário. É comum a utilização de esfregões para limpar a área à frente das pedras. Essa esplêndida atividade doméstica impede que as pedras façam curvas e aumenta sua velocidade.

ALGUNS TERMOS DE CURLING

Rink . . . . *time de curling*
Skip . . . . *capitão do time*
House . . . *nome da área de pontuação*
Eight-ender . . . . . end *perfeito em que cada pedra marca ponto*
End . . . . *período*
Bonspiel . . . . *torneio de* curling
Button . . . . *centro do alvo*
Gripper . . . . *sapato com estrias*
Slider . . . . *sapato de* curling *liso*
Hurry . . . . *forma de incentivar os esfregadores*

Uma equipe de *curling* é composta de quatro jogadores que lançam duas pedras por vez, alternando-se com os adversários. Os outros da equipe funcionam como esfregadores. O *lead* lança a 1ª e a 2ª pedras, iniciando o jogo, depois esfrega para as outras 6. O *segundo* lança a 3ª e a 4ª, tentando tirar as pedras do adversário. O *terceiro* (também conhecido como *vice* ou *mate*) lança a 5ª e a 6ª pedras, buscando abrir espaço para o *skip* ou capitão, que lança as pedras restantes, que frequentemente são fundamentais.

Número do lançamento	quem lança	quem esfrega
1 & 2	*Lead*	Segundo e terceiro
3 & 4	Segundo	*Lead* e terceiro
5 & 6	Terceiro	*Lead* e segundo
7 & 8	*Skip*	*Lead* e segundo

O CONSELHO DE SATCHEL

O lendário arremessador de beisebol Leroy 'Satchel' Paige (1906?–82) era famoso tanto por seu raciocínio rápido quanto por suas bolas rápidas. Ele jogou mais de 2.500 partidas e alcançou mais de 50 jogos sem ser rebatido. Em 1948 Paige foi o primeiro arremessador negro da Liga Americana, e em 1971 fez história como o primeiro jogador da 'Liga Negra' a entrar para o Hall da Fama do Beisebol. Ele imprimiu os seguintes conselhos dirigidos aos seus fãs no verso de seu cartão de autógrafos:

'Seis Regras para uma Vida Feliz'
Evite carne frita, que irrita o sangue. Se seu estômago briga com você,
deite-se e o aplaque com pensamentos refrescantes.
Mantenha os fluidos circulando cantarolando suavemente
enquanto se move. Pegue leve em vícios como viver em sociedade.
A agitação social é cansativa. Evite correr o tempo todo.
Não olhe para trás. Algo pode estar se aproximando.

ESPORTES REAIS E O AMOR

Eu sei fazer oito exercícios: luto com coragem; me man-
tenho firme na sela; nado bem; deslizo sobre o gelo em
patins; sou excelente no arremesso da lança; sou hábil
no remo, e ainda assim uma dama russa me despreza.

— HAROLD II (1022–66) [atrib.]

PEDRA, PAPEL E TESOURA

A origem do clássico jogo PEDRA, PAPEL E TESOURA tem sido objeto de grande debate. É possível que uma versão do jogo tenha sido praticada por soldados romanos, que usavam ÁGUA, FOGO E MADEIRA (água apaga o fogo, que queima a madeira, que flutua na água). Contudo, não foram descobertos registros dos sinais manuais. Os japoneses chamam o jogo de *Jan-ken-poh* ou *Janken* – e o utilizam como método para escolher quem dá as cartas em um jogo, quem tem o serviço no tênis e assim por diante. (*Hasami* é tesoura; *kami* é papel; *ishi* é pedra.) Algumas versões do jogo utilizam quatro formas da mão possíveis. Por exemplo, crianças francesas em idade escolar hoje jogam com PEDRA (*caillou*), POÇO (*puits*), PAPEL (*feuille*) e TESOURA (*sciseaux*). Nesse caso, a tesoura cai no poço, que é coberto de papel, que é cortado pela tesoura, que é esmagada pela pedra, que também cai no poço. E há uma antiga variação abissínia com oito sinais: agulha, espada, tesoura, martelo, navalha imperial, mar, altar e céu.

DESENHO DO TABULEIRO DE GAMÃO E EXPRESSÕES

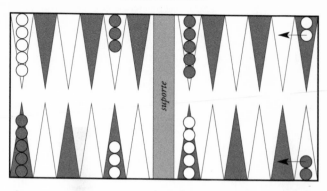

Atacar.... um ataque a um *ponto vulnerável* que manda a ficha para o suporte
Casa .... o lado do tabuleiro no qual o jogo termina
Dublê .... dois dados iguais
Entrar. .... tirar uma *ficha* do *suporte*
Fora. .... metade oposta à *casa*
Gamão. .... jogo vencido quando o perdedor não *tirou fichas*
Gamão .... jogo vencido quando o perdedor não *tirou* nenhuma *ficha*
e ainda tem *fichas* no *suporte* ou na *casa* do vencedor
Jogada perdida. .... número nos dados que não pode ser jogado
Ponto vulnerável . . . *ponto* ocupado por uma só *ficha* vulnerável a *ataque*
Ponto. .... um dos 24 triângulos
Retorno ...... quando uma *ficha* do *suporte* entra e ataca um *ponto vulnerável*
Tirar. .... remover *fichas* do tabuleiro
Tirar .... remover uma *ficha* de um *ponto vulnerável*
Dobrar o dado .... oferecer uma dobrada (ver abaixo)

Quando o gamão é jogado a dinheiro, o *dado dobrado* pode ser usado para aumentar as apostas. A qualquer momento antes de o jogador lançar os dados para começar uma rodada, o adversário pode propor continuar o jogo dobrando a aposta inicial – desde que nenhuma dobrada tenha sido proposta antes. Se o jogador aceita (*pega*) a oferta, as apostas são aumentadas e aquele jogador *tem* o *dado dobrado* e a opção de propor aumentos posteriores. (A *propriedade* do dado varia dependendo de quem aceitou a última dobrada.) Se o jogador declina (*passa*) uma dobrada, perde a partida, além da aposta. O dado propriamente dito é marcado em 2, 4, 8, 16, 32 e 64 e colocado na *barra* para mostrar o nível da aposta.

— SPLITS E TERMOS DO BOLICHE DE 10 PINOS —

SPLIT é uma combinação de pinos deixados de pé após o primeiro arremesso, supondo que o primeiro tenha derrubado pelo menos um pino,[†] mas não todos (o que é conhecido como STRIKE). Há várias expressões para descrever os diferentes *SPLITS* possíveis, que variam em dificuldade dependendo do espaço entre os pinos remanescentes. (Os *SPLITS* são classificados em ordem numérica.)

Apelido do split	pinos de pé após a primeira bola
1001, CABECEIRA, GOL *ou* OLHOS DE COBRA	7/10
2002, GRANDE QUATRO *ou* PINOCLE DUPLO	4/6/7/10
ÁRVORE DE NATAL *ou* FÉ, ESPERANÇA, CARIDADE	3/7/10 *ou* 2/7/10
BABY ou MURPHY	2/7 *ou* 3/10
BALDE	2/4/5/8 *ou* 3/5/6/9
CINCINNATI	8/10
DORMINHOCO	2/8 ou 3/9
ERVA VENENOSA	3/6/10
FILA DE TRÁS	7/8/9/10
GRANDE TRÊS	1/2/3
LOJA DE PECHINCHAS	5/10
MAÇÃ ÁCIDA *ou* LÍRIO	5/7/10
STRIKE SPLIT	8/10 *ou* 7/9
VARAL, CERCA *ou* TRILHO	1/2/4/7 *ou* 1/3/6/10

† Se a primeira bola deixa o pino base de pé, as seguintes não podem ser chamadas de *split*. Assim, 1/2/10, 1/2/4/10, 1/3/7, 1/3/6/7 etc. são chamadas de *WASHOUT* ou FIASCO.

Além desses apelidos de *split*, o boliche tem muitos outros termos próprios:

Aberto ... *tabela sem strike ou spare*	Five bagger........ *5 strikes seguidos*
Amarrado .... *seis strikes seguidos*	Fosso............ *gíria para canaleta*
Âncora ... *último homem da equipe a arremessar*	Four bagger .... *4 strikes seguidos*
	Fundação .. *um strike na 9ª rodada*
Balsa.... *toque fraco no pino central*	Garrafa....... *deixar um pino de pé*
Beliscar ...... *apertar demais a bola*	Mel........... *um lançamento doce*
Bicicleta .. *pino escondido por outro*	Nada ... *bola que não marca pontos*
Bolso .... *espaço entre 1/3 ou 1/2*	Pie alley..... *uma pista magnânima*
Cemitério . *pistas com poucos pontos*	Pino mestre . [normalmente] *o pino 1*
Cereja ...... *pegar os pinos da frente*	Pino rei...... [normalmente] *o pino 5*
Dodô .... *bola ilegal*	Poodle............ *bola na canaleta*
Dorminhoco ...... *um pino de trás escondido*	Sogra....................... *o pino 7*
	Strike out .. 3 strikes na 10ª rodada
Double............ *2 strikes seguidos*	Tandem... *pino escondido por outro*
Engatinhar............... *bola lenta*	Turkey .... *3 strikes seguidos*

– SOBRE A NUMERAÇÃO DAS CAMISAS DE RÚGBI –

Antes da formalização das regras do rúgbi podia haver qualquer número de jogadores de cada lado. Em 1836 o número de jogadores em um time da Rugby Union foi definido em 20; em 1876 ele caiu para 15. A Rugby League também tinha 15 jogadores de cada lado, até o número ser reduzido para 13 em 1906. Embora a prática de numerar as camisas remonte a Nova Zelândia x Queensland em 1897, a convenção só foi adotada na Grã--Bretanha em 1922, quando a Inglaterra enfrentou o País de Gales. Tradicionalmente o *fullback* usava [1], os atacantes de primeira linha usavam de [8] a [10] e os de linha de trás entre [13] e [15]. Atualmente a maioria dos clubes usa o sistema de numeração estabelecido pelo International Rugby Board:

Loose head prop.... 1	Left flanker 6	Left wing 11
Hooker.............. 2	Right flanker 7	Left centre......... 12
Tight head prop.... 3	Número oito........ 8	Right centre 13
Left lock 4	Scrum half.......... 9	Right wing 14
Right lock 5	Flyhalf............. 10	Fullback 15

Reservas e substitutos são numerados de 16 a 22, dependendo da posição.

Antes do advento do profissionalismo vários clubes tinham sistemas próprios de marcar as camisas. O Bath costumava não usar o número 13, e o West Hartlepool costumava não jogar com o número 5 em homenagem a John Howe, que morreu em campo em uma partida contra o Morley em 1992. Até recentemente Bristol e Leicester eram as últimas duas equipes a usar um sistema de letras em lugar de números, embora as ordens fossem inversas. Assim, por exemplo, o *fullback* de Bristol era A e o de Leicester, O; o *flyhalf* de Bristol era F, e o de Leicester, J, e assim por diante.

───── ESCALAÇÃO DE FUGA PARA A VITÓRIA ─────

O clássico de John Huston *Fuga para a Vitória* (1981) se passa em um campo de prisioneiros durante a Segunda Guerra. Um time de futebol de aliados concebe um plano de fuga durante uma partida contra a seleção alemã:

Sylvester Stallone†

Paul van Himst · Co Prins · Russell Osman · Michael Caine

Ossie Ardiles · Bobby Moore · John Wark · Soren Linsted

Mike Summerbee · Pelé

† Kevin O'Callaghan era o goleiro aliado. Mas eles foram obrigados a quebrar seu braço de modo que o personagem de Sylvester Stallone (que tinha informações fundamentais para a fuga) pudesse ser libertado da solitária para jogar em seu lugar. Apesar de um árbitro malandramente 'neutro', os aliados arrancam um empate em 4 a 4 e, com uma multidão francesa eufórica tomando o gramado, nossos heróis conseguem fugir (para a vitória).

BANDEIRAS DA FÓRMULA 1

Quadriculada . . . . *fim da corrida*
Vermelha . . . . *corrida interrompida por questões de segurança*
Azul . . . . *carro mais rápido atrás tentando ultrapassar um retardatário*
Branca . . . . *alerta para um veículo lento (como um safety car)*
Listras vermelhas e amarelas . . . . *pista escorregadia (por água ou óleo)*
Amarela . . . . *perigo à frente, ultrapassagem proibida*
acenar uma vez com a amarela . . . . *desacelerar*
acenar duas vezes com a amarela . . . . . . *pilotos devem se preparar para parar*
Disco laranja sobre preto (com n°) . . . . *indica que o carro deve parar*
imediatamente nos boxes por causa de falhas mecânicas
Diagonais preta e branca (com n°) . . . . *aviso de comportamento antiesportivo*
(pode ser seguido por uma bandeira preta)
Preta (com número) . . . . *piloto deve parar imediatamente nos boxes,*
normalmente por ter sido desclassificado por quebrar as regras
Verde . . . . *problema solucionado, carros podem correr normalmente*

AMARELINHA

Amarelinha é uma brincadeira infantil jogada em todo o mundo, com uma grande variedade de quadras e regras locais. Na versão mais simples do jogo, os participantes alternadamente lançam uma pedra chata na primeira casa de uma quadra. Eles então sobem e descem a trilha até recuperar a pedra. Os jogadores podem colocar os pés onde quiserem nas áreas não divididas (por exemplo, 4), mas devem pisar com os pés separados nas áreas divididas (como 2 e 3). Se um jogador completa o circuito sem pisar sobre uma linha ou tropeçar, pode jogar a pedra na casa seguinte e repetir o processo. (Entre as variações estão chutar a pedra de uma casa para a outra enquanto salta, tomar uma casa particular e marcá-la com uma inicial de modo que nenhum outro jogador possa pisá-la ou concluir o circuito com uma pedra equilibrada na cabeça, no pé ou na mão.) Durante muitos anos se disse que a amarelinha remonta à época romana, quando os centuriões aparentemente usavam o jogo como treinamento físico enquanto viajavam pelas estradas indo e vindo da capital. No entanto, os autores Iona e Peter Opie, autoridades em jogos infantis, desprezam essa ideia, datando a origem do jogo da amarelinha em meados do século XVII.

—————— INTERPRETAÇÕES DE CARTAS DE TARÔ ——————

O baralho de tarô tem 78 cartas: 22 imagens de *arcanos maiores* e 56 cartas com naipes para os *arcanos menores* – e é possível que esses dois conjuntos originalmente fossem baralhos distintos. Há uma polêmica sobre qual seria o mais antigo baralho de tarô conhecido, alguns dizendo ser o baralho de 1415 pertencente ao duque de Milão, e outros o baralho de 1392 feito para Carlos VI. Há uma polêmica ainda maior sobre origem, simbolismo, desenho e interpretação das cartas, que durante séculos têm sido usadas por místicos, adivinhos, videntes e charlatães. Abaixo, os *arcanos maiores:*

Interpretação comum	ARCANO MAIOR	Interpretação se invertida
Necessárias decisões importantes	LOUCO	. . . . *problemas resultantes de ações impensadas*
Força de vontade e iniciativa	MAGO	. . . . *colapso nervoso; fuga da realidade*
Influência e visão de mulher sábia . .	SACERDOTISA	. . . . *risco de instabilidade emocional*
Fertilidade, maternidade, proteção . . .	IMPERATRIZ	. . . *revolta no lar; fraqueza masculina*
Autocontrole; poder; conhecimento . . .	IMPERADOR	. . . . *imaturidade; ambição fracassada*
Bom conselho; ensinamento	SUMO SACERDOTE	. . . *desinformação, conselhos ruins*
Tempo de escolha; intuição	ENAMORADOS	. . . . . *risco de falha moral, indecisão*
Vitória pelo esforço; triunfo	CARRO	. . . . *influência demais, crueldade*
Acordo por negociação	JUSTIÇA	. . *sectarismo, preconceito, avaliação ruim*
Planejamento cuidadoso, reflexão	ERMITÃO	. . . . *recusa em aceitar bons conselhos*
Novo ciclo; regeneração	RODA DA FORTUNA	. . . . *mudança para pior; fim de um ciclo bom*
Coragem de assumir riscos	FORÇA	. . . . *derrota; colapso nervoso*
Sabedoria; agilidade mental	ENFORCADO	. . . . *materialismo; força interior*
Grande mudança (para melhor)	MORTE	. . . . *o acaso*
Lidar com as circunstâncias	TEMPERANÇA	. . . . *evolução obstada por tolice*
Forças ocultas em ação	DIABO	. . . . *lascívia e abuso de poder*
Sofrimento inconstante; desastre	TORRE	. . . . *sofrimento desnecessário*
Insight; horizontes ampliados	ESTRELA	. . . . *rigidez de mente fechada e limitada*
Crise de fé	LUA	. . . . *colapso nervoso*
Sucesso contra as probabilidades	SOL	. . . . *erro de avaliação levando a fracasso*
Realizações; recomeço	JULGAMENTO	. . . . *oportunidade desperdiçada; perda; culpa*
Questões bem-resolvidas	MUNDO	. . . . *estagnação; inércia; imobilidade*

Essas cartas correspondem às 22 letras do alfabeto hebraico, cada uma com significados numerológicos e cabalísticos. Os arcanos menores são reunidos em quatro naipes: copas, espadas, moedas e varas. Cada naipe consiste de cartas de 1 a 10 e quatro cartas figuradas: Rei, Dama, Valete e Cavaleiro. Os mais famosos leitores de tarô da ficção são Madame Sosostris, que tinha um 'maldito baralho' no épico *Terra devastada*, de T.S. Eliot, de 1922, e Solitaire (Jayne Seymour), no filme *007 – Viva e deixe morrer* (1973).

LA TOMATINA acontece na última quarta-feira de agosto (o auge da estação do tomate) na aldeia espanhola de Buñol. Durante duas horas, mais de 90 mil quilos de tomate são arremessados indiscriminadamente contra tudo e todos por cerca de 30 mil participantes. Aparentemente, essa briga de comida anual começou por acaso na década de 1940, quando se perdeu o controle em uma refeição de família.

O CAMPEONATO DE MERGULHO COM SNORKEL EM BREJO acontece todo feriado bancário de agosto na turfeira da periferia de Llanwrtyd Wells, menor cidade da Grã--Bretanha. Os competidores dão duas voltas em uma raia com 55 metros de comprimento por 1,20 metro de largura aberta no charco denso. Os participantes usam snorkel, pés de pato e trajes de banho opcionais, mas não podem empregar nenhuma braçada convencional da natação. (Uma competição igualmente estranha implica fazer a travessia do brejo com snorkel em *mountain bikes*.)

A CORRIDA SUICIDA DE OMAK é disputada todo mês de agosto desde 1935 em Omak, uma pitoresca cidade rural em Washington, EUA. Uma trilha de 40 metros prepara os cerca de vinte cavaleiros e cavalos para a descida de 64 metros (com ângulo de 62°), ao final da qual corre o rio Okanogan. Contudo, à medida que o número de cavalos feridos ou mortos aumentou, igualmente cresceu a oposição à corrida.

A CORRIDA DE TOUROS DE STAMFORD, em Lincolnshire, surgiu durante o reinado do rei João. Todo dia 13 de novembro, um touro era solto e caçado pelos moradores da cidade com porretes e varas. Quando o touro caía de exaustão, era morto a pauladas, cozido e comido. Em 1788 foram feitas as primeiras tentativas de acabar com a corrida. Em 1840 as boas pessoas de Stamford finalmente desistiram.

FERRO RADICAL combina a emoção de uma atividade radical ao ar livre com a satisfação de uma blusa bem-passada. Os pré-requisitos são um ferro quente, um ambiente desafiador (em meio ao tráfego, sob a água ou na encosta de uma montanha), um punhado de roupas amarrotadas e um pouco de goma.

A CORRIDA HOMEM X CAVALO de 22 milhas é disputada no País de Gales desde 1922, quando Screaming Lord Sutch deu a partida oficial. Em 2004 foi vencida pela primeira vez por um ser humano, em 2 horas, 5 minutos e 9 segundos.

A competição anual de ROLAMENTO DE QUEIJO acontece em maio descendo a Cooper's Hill, perto de Brockworth, Gloucestershire Cotswolds. Um queijo Gloucester Double de 3,5 a 4 quilos é solto do alto do morro, e os participantes disparam pelo precipício em uma tentativa vã de pegá-lo. São quatro corridas (uma para mulheres), e o primeiro a chegar ao sopé da montanha ganha o queijo.

—— ATIVIDADES ESPORTIVAS CURIOSAS cont. ——

O BUZKASHI, esporte nacional afegão, é traduzido literalmente como 'agarrar o bode' por uma boa razão. Uma carcaça de bode sem cabeça, sem cascos e eviscerada (a *boz*) é colocada no centro de um círculo, e dois times de cavaleiros tentam pegá-la e levá-la até o gol. [O esporte apareceu no clássico de John Frankenheimer de 1971 *Os cavaleiros de Buzkashi*, estrelado por Omar Sharif.]

Duas vezes por ano, no Natal e no ano-novo, os homens e meninos de Kirkwall (Ilhas Orkney, Escócia) jogam o KIRKWALL BA'. Tradicionalmente, as duas equipes são formadas por local de nascimento: os nascidos ao norte da Catedral de St. Magnus são *Doonies* (Doon-the--Gates) e os nascidos ao sul são *Uppies* (Up-the-Gates). A BA' é uma bola de couro feita à mão enchida com cortiça que, quando o relógio bate 13h, é jogada na direção da multidão a partir da Mercat Cross, em frente à catedral. As duas equipes tentam pegar a bola e levá-la para seus objetivos. Os *Uppies* tentam tocar a BA' em uma parede no sul da cidade. O *Donnies* tentam jogá-la na água no porto ao norte.

O jogo colombiano TEJO é semelhante aos jogos tradicionais de malha ou ferradura, a não ser pelo fato de que envolve explosivos. Os jogadores tentam lançar uma bola, um disco ou uma pedra em uma área que tem uma série de bombas (*totes*). O jogador que provoca mais explosões é o vencedor.

LA POURCAILHADE acontece no segundo domingo de agosto na cidade francesa de Trie-sur-Baïse – uma das maiores regiões de criação de porcos da Europa. O festival é dedicado a tudo o que é porcino, mas o destaque é a 'competição de grunhidos de porcos', na qual competidores imitam os sons que os porcos fazem em uma série de cenários reais: comendo, copulando, parindo e assim por diante.

SPILE TROSHING é um esporte arcaico de Borsetshire, popular na aldeia de Ambridge. Competidores pegam uma roda de carroça, amarram uma corda no eixo e a prendem ao *slug* (um peso de cerca de 10 quilos). O *trosher* tem de girar o *spile* para uma cesta ou *bower*. Se conseguir colocar o *spile* no primeiro giro é um *prime* (3 pontos); se não conseguir é um *blind* (0 ponto). [*Spile* é um cone de madeira que controla o fluxo de ar em barris de cerveja.] (Ver também p.81.)

Outras atividades curiosas são: o TORNEIO MUNDIAL DE CARETAS, em Cumbria; o campeonato finlandês de CARREGAMENTO DE ESPOSAS, no qual os maridos carregam as esposas em uma pista de obstáculos de 253,5 metros para ganhar o peso delas em cerveja; o CAMPEONATO MUNDIAL DE GRITOS da Polônia; e o CAMPEONATO MUNDIAL DE MORTE DE MOSQUITOS, realizado na Finlândia, no qual ainda não foi quebrado o recorde estabelecido em 1995 de 21 mosquitos mortos em 5 minutos.

PRENDAS DE JOGOS DE SALÃO

Algumas prendas que podem ser empregadas com os jogos das pp.22–3:

ELOGIO · A vítima deve fazer um elogio emocionado a cada um dos presentes.

BANCAR O PAPAGAIO · A vítima deve perguntar a cada pessoa 'Se eu fosse um papagaio o que você me ensinaria a dizer?', e então repetir a resposta. Se uma mulher ensina um homem a dizer 'Quem é o garotão aqui?', o homem é obrigado a beijá-la.

O MUDO CARRANCUDO · A vítima tem de fazer o que for ordenado sem falar, rir ou sorrir.

CONTRADIÇÃO · Durante um determinado período de tempo, a vítima deve fazer exatamente o contrário daquilo que foi determinado pelo grupo.

TESTAMENTO · A vítima deve dividir seus bens entre os membros do grupo (presumivelmente de uma forma que não seja juridicamente obrigatória).

VERDADE OU CONSEQUÊNCIA · A vítima deve responder a qualquer pergunta com absoluta sinceridade, ou ser punida (pode ser com outra das prendas relacionadas aqui).

CORTESIA · A vítima deve percorrer a sala e se ajoelhar ao mais espirituoso, se curvar ao mais belo e beijar o que mais ama.

SALA DOS HUMORES · A vítima deve rir em um canto da sala, cantar em outro, chorar no terceiro e dançar no último.

RESISTÊNCIA · A vítima deve se abster de álcool por um período de tempo (uma prenda muito séria).

CONSELHEIRA · A vítima deve percorrer a sala e dar um conselho a cada um dos presentes.

MÁGICA DO ANIMAL · A vítima deve perguntar a cada pessoa na sala qual seu animal preferido e depois imitar cada um deles.

NOMENCLATURA EQUESTRE

Potro . . . . macho, até 4 anos, não castrado, não cruzado
Dama. . . . . a mãe de um cavalo
Potranca . . . . fêmea até 4 anos
Capão. . . . . macho castrado
Juvenil . . . . 2 anos [corrida]; 3 *ou* 4 anos [salto]
Virgem . . . . cavalo que nunca ganhou uma corrida
Égua. . . . . fêmea de 4 anos ou mais que se tornou reprodutora
Senhor. . . . . o pai de um cavalo
Garanhão . . . . macho reprodutor

BOLAS DE GUDE DE DESTAQUE

Aggies.. *bolas feitas de ágata*
Alleys.. *bolas feitas de alabastro*
Bumboozers... *bolas muito grandes*
Olhos de gato........... *bolas translúcidas com um toque de cor no interior*
Porcelana... *bolas feitas de porcelana*
Claras.................................... *bolas translúcidas de uma cor só*
Comuns.................................. *bolas comuns, feitas de argila*
Leitosas.. *bolas opacas de cor leitosa*
Peles de cebola..................... *bolas coloridas, decoradas com espirais*
Peewees... *bolas pequenas*
Sulfides...... *bolas valiosas de vidro translúcido com figuras de argila dentro*

As bolas de gude podem ser usadas como remédio para o ronco. Costure uma na parte de trás do colarinho do pijama do roncador e ele será desencorajado a dormir de costas.

INSINUAÇÕES DE PARA-CHOQUE

Uma seleção de frases de para-choque usadas por fãs do esporte:

· PESCADORES fazem no samburá · ARQUEIROS fazem com a aljava · EMPRESÁRIOS DE BOXE fazem por dinheiro · JOGADORES DE BRIDGE fazem na negra · CRUPIÊS fazem com um golpe de mão · ENXADRISTAS fazem tudo pelo rei · ALPINISTAS fazem contra a parede · JOGADORES DE CROQUET fazem antes de eliminar a bola · JOGADORES DE DARDO fazem na linha · DECATLETAS fazem durante dois dias · MERGULHA-DORES fazem sob pressão · JOGADORES DE DAMAS fazem com irritação · ESGRIMISTAS fazem com proteção · PESCADORES fazem com a isca mergulhada · APOSTADORES fazem até estarem arruinados · PILOTOS DE ASA-DELTA sustentam no alto o dia todo · GOLFISTAS fazem segurando firme · JOGADORES DE HÓQUEI fazem com um drible indiano · JÓ-QUEIS fazem com o chicote · MALABARISTAS fazem com bolas · ARRE-MESSADORES DE FACAS fazem com ajudantes exuberantes · MESA-TENISTAS fazem com efeito · JOGADORES DE PÔQUER fazem com uma expressão impenetrável · EXPLORADORES DE CAVERNAS fazem no escuro · PILO-TOS fazem na primeira fila · NAVEGADORES DE RALI fazem com tulipas · ÁRBITROS fazem com um apito · JOGADORES DE RÚGBI fazem com bolas esquisitas · JOGADORES DE SCRABBLE fazem para cima e para baixo · ESQUIADORES fazem na pista · JOGADORES DE SINUCA precisam de um longo descanso · PRATICANTES DE MERGULHO LIVRE fazem sem sair para respirar · ARREMESSADORES DE EFEITO fazem com a canhota · NADADORES cruzam longas distâncias para fazer · TENISTAS fazem por amor · SALTADORES DE TRAMPOLIM fazem em pleno ar ·

ESCOLHENDO O PEGADOR

Muitos jogos infantis, além de pique (ver p.144), têm procedimentos elaborados para escolher a criança que será o pegador. Além de pedra, papel e tesoura (ver. p.128), uma série de rimas é usada para determinar quem sai:

Uni-duni-tê,
Salamê minguê,
Um sorvete colorê,
O escolhido foi vo-cê!

Horcum, borcum,
curious corkum,
Herricum, berricum, buzz;
Eggs, butter, cheese, bread,
Stick, stock, stone dead.
[AMERICANO]

Ickery, ahry, oary, ah,
Biddy, barber, oary, sah,
Peer, peer, mizter, meer,
Pit, pat, out, one.

El, el, eopéné,
Sovouk sooya sagsama,
Gidém Haléb yolena;
Haléb dedi guin Pazar.
Haidé boona check boune.
[ARMÊNIO]

Red, white and blue
The cat's got the flu
The dog's got chicken pox,
So out goes YOU!

One potato, two potato
Three potato, four
Five potato, six potato
Seven potato, more!

Your shoes are dirty,
Your shoes are clean,
Your shoes are not fit
To be seen by the Queen.

'Ekkero, akai-ri, you, kair-na
Filiussin, follasy, Nicholas ja'n
Kivi, kavi, Irishman,
Stini, Stani, buck.
[ROMANI]

Ichiku, tachikio, tayemosaro,
otoshime, samaga, chiugara,
mo, ni, owarite, kikeba,
hoho, hara, no, kai.
[JAPONÊS]

CROQUET NOS EUA

Na década de 1860 o *croquet* atravessou o Atlântico e chegou à América, onde foi imediatamente abraçado pela maioria como um esporte realmente elegante e da moda e, acima de tudo, um grande elemento civilizatório. O periódico de Nova York *Galaxy* declarou em 1867 que 'o *croquet* é essencialmente um jogo social, que produz bom humor, perspicácia e companheirismo, no qual os homens mais velhos esquecem a gota; os jovens, suas contas atrasadas; em que as jovens fundem dever e prazer tão bem que a saúde brota em sua face, reluz em seus olhos, e a vida renovada brilha a cada passo elástico'. Um manual de *croquet* foi ainda mais longe, alegando que o *croquet* era 'uma proteção contra todas as más influências ao manter todos os membros da família unidos (...) [já que] com diversões racionais em casa ninguém estaria inclinado a buscar as irracionais na rua'. Porém, nem todos ficaram tão apaixonados. Em 1878 a *American Christian Review* enumerou as inevitáveis consequências desastrosas de atividades sociais como o croquet da seguinte forma:

grupo social
jogo social e grupal
grupo de croquet
grupo de croquet & piquenique
piquenique, croquet & dança
afastamento da igreja
comportamento imprudente ou imoral
exclusão da igreja
uma união de perdidos
pobreza & insatisfação
vergonha & desgraça
ruína

Em 1867 a Administração do Central Park de Nova York fez uma generosa exceção à proibição de esportes adultos ativos, permitindo que garotas jogassem *croquet* em áreas delimitadas – afastadas dos caminhos principais – nas tardes de quarta-feira e sexta-feira.

ATLOS

Biatlo ....esqui, tiro
Triatlo (padrão) ....natação 3,8km, ciclismo 180km, maratona 42,195km
Tetratlo ....equitação, tiro, natação, corrida
Pentatlo (tradicional)..............salto, lançamento de dardo, 200m rasos, lançamento de disco, 1.500m rasos
Pentatlo (moderno)..............salto acrobático, esgrima, tiro de pistola, natação 200m, corrida cross-country 3.000m
Pentatlo (feminino) ....lançamento de peso, salto em altura, 100m com barreiras, 800m rasos, salto em distância
Heptatlo (feminino) ....[1° dia] 100m com barreiras, lançamento de peso, salto em altura, 200m rasos;
[2° dia] salto em distância, dardo, 800m rasos

Decatlo ....[1° dia] 100m, salto em distância, lançamento de peso, salto em altura, 400m; [2° dia] 110m com barreiras, disco,
salto com vara, dardo, 1.500m

SUPERTRUNFO

O Supertrunfo é um clássico da hora do recreio desde 1977. Abaixo, alguns baralhos clássicos e modernos:

Nome do baralho · *categorias · exemplos de cartas*

HORROR.............Força Física · Fator de Medo · Poder de Morte · Taxa de Horror · *Drácula, Senhor da Morte, O Deformado*
MONSTROS PRÉ-HISTÓRICOS ....Existiu · Comprimento · Peso · Alimento · *Megaceros, Palaeloxodon Euparkeria, Dipterus*
SAPOS E RÃS............Comprimento · Peso · Expectativa de Vida · Viscosidade · *Perereca tomate, Bufode Braun, Rã Arlequim*
SUPER-HERÓIS.............Força · Poderes · Armas · *Abominação, Caveira Vermelha, Doutor Estranho, Doutor Octopus*
SIMPSONS.........Mais adorável · Mais esperto · Maior Nerd · Maior Anarquista · Índice de Calçada da Fama · *Ned Flanders*
GOODIES & BADDIES DE ROALD DAHL.......Cérebro · Gentileza · Aparência · Cobiça · Astúcia · Índice RD · *Roly-Poly Bird*
BEANO............Ameaça · Maciez · Evasivas · Comida · Cérebro · Índice Estrelado Beano · *Rasher, Cuthbert Cringeworthy*

—— O ESPORTE DOS REIS E OUTROS APELIDOS ——

O Esporte dos Reis[1] ....corrida de cavalos
A Nobre Arte[2] ....boxe
A Perícia Elegante[3] ....pesca de caniço
O Belo Jogo[4] ....futebol
A Nobre Ciência da Defesa..esgrima
A Arte Tesserária[5] ....aposta

[1] O Esporte dos Reis tem sido apelido de uma série de atividades – algumas mais esportivas que outras. No século XVII o termo era um eufemismo para a GUERRA. Depois, talvez por associações belicosas com cavalos de cavalaria, o termo foi aplicado à CAÇA, embora a FALCOARIA também tivesse associações reais semelhantes. Atualmente, CORRIDAS DE CAVALOS e eventualmente POLO são os esportes mais associados à frase. Curiosamente, o SURFE foi apelidado de Esporte dos Reis já em 1935, pelo menos segundo um artigo daquele ano da revista *Hawaiian Surfboard.* Aparentemente essa associação improvável surgiu porque o surfe tradicionalmente era diversão exclusiva da família real havaiana. A alegação do BOLICHE DE DEZ PINOS de ser o Esporte dos Reis provavelmente se baseia no primeiro pino (ou o do meio), conhecido como pino rei (ver p.130). Corredores da CRESTA RUN (ver p.55) consideram a atividade o Rei dos Esportes de Inverno. [2] Além do Boxe, A Nobre Arte também foi associada à DEFESA PESSOAL, ao SOLTAR PIPAS, ao BILBOQUÊ e ao JOGO DOS DEDAIS (conto do vigário de agilidade manual). [3] Foi sugerido que esse apelido pode ser uma brincadeira com a palavra usada para as bicheiras (larvas da mosca-varejeira), tradicionalmente usadas como isca pelos pescadores. Izaak Walton (1593–1683), autor de *The Compleat Angler,* clássico relato pastoral da pesca com caniço, recebeu o apelido de 'O Elegante'. A pesca de caniço, claro, não deve ser confundida com a Elegante Arte da Persuasão nem realmente com a *Gentle Art of Making Enemies,* de 1890, de James McNeill Whistler. [4] O jogador holandês de futebol Ruud Gullit ampliou a noção de Belo Jogo cunhando a frase 'futebol sensual' para descrever sua visão pessoal do que deveria ser o esporte. Isso não deve ser confundido com outra noção holandesa de 'futebol total', popular nos anos 1970, que defendia o total aproveitamento das habilidades e das posições dos jogadores. PELOTA (ou JAI ALAI) foi em certo momento chamado de Belo Jogo. [5] Termo arcaico derivado do latino *tesserae,* ou dados (ver p.116).

—————— LENÇOS E TOURADAS ——————

Na linguagem da tourada, o *pañuelo* é um lenço usado pelo *presidente* da luta para dar suas ordens. Um *pañuelo* BRANCO é usado para indicar o início do desfile; a libertação dos touros; e vários estágios da luta. E, assim que o touro está morto, um aceno do *pañuelo* BRANCO indica que o *matador* irá receber uma orelha; dois acenos indicam as duas orelhas; três, as orelhas e o rabo. Um *pañuelo* VERDE sinaliza que o touro deve ser levado de volta ao curral porque é defeituoso ou porque não pode ser morto. Um *pañuelo* VERMELHO indica que *banderillas* (picadores) maiores devem ser empregadas para obrigar um touro ainda reticente a atacar – algo que leva desgraça tanto ao animal quanto ao seu criador.

—— COMPARATIVO DE TAMANHOS DE BOLAS ——

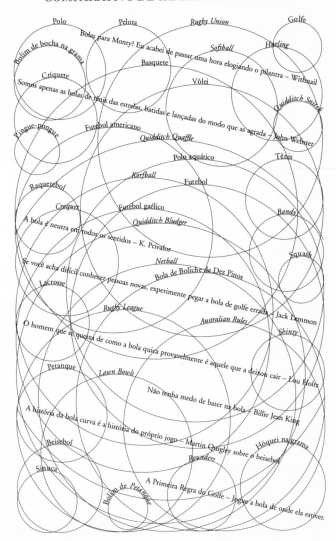

O esquema é baseado na circunferência máxima da bola. Escala: 1mm ≈ 10mm

GLADIADORES

Exclusivos da cultura romana, os gladiadores surgiram nos funerais (por volta de 264 a.c.), quando exibições de luta substituíram os sacrifícios. A popularidade dos cruéis jogos de gladiadores se tornou de tal forma parte da vida romana que em 326 d.C. Constantino sentiu que devia acabar com eles. Os gladiadores eram criminosos, escravos ou prisioneiros de guerra. Eventualmente lutadores vitoriosos conquistaram alguma fama, ganhando dinheiro, presentes e visitas femininas. Contudo, seu objetivo era receber o *rudis*, uma espada de madeira que conferia a liberdade. Diversos gladiadores combatiam entre si (bem como com animais selvagens):

Andabata · 'Lutadores cegos' que usavam elmos fechados sem abertura para os olhos; o desafio era lutar valendo-se dos outros sentidos.

Eques · Lutavam a cavalo com uma lança de 2 metros de comprimento e espada. Usavam elmos e tinham faixas de tecido nas canelas.

Samnite · Recebiam o nome de uma tribo derrotada pelos romanos em 312 a.C. Usavam elmos com plumas, carregavam grandes escudos oblongos e lutavam com espada.

Myrmillo · 'Homens-peixes', assim chamados por uma crista em forma de nadadeira em seus elmos. Eram equipados com um escudo grande e usavam espada.

Trácios · Lutavam com uma espada curva pequena e usavam um elmo de aba larga com crista.

Secutor · 'Caçadores', levavam adaga e vestiam elmo, proteções de metal na perna esquerda e uma proteção acolchoada no braço da espada.

Retiarius · Ágeis, não tinham elmo e apenas o braço e o ombro da espada eram protegidos. Eram armados com rede e tridente.

Provocator · Conhecidos como 'desafiadores', vestiam elmos com visores e proteção para o peito, e carregavam escudo redondo e espadas de bordas retas.

Hoplomachus · Tinham armaduras pesadas com proteção metálica nas canelas e tecido envolvendo as coxas e o braço da espada. Lutavam com lança e punhal.

Bestiarii · Os gladiadores de nível mais baixo, combatiam bestas selvagens usando chicotes ou varas.

Há grande controvérsia acerca do papel do polegar nas arenas, já que nunca foi encontrada nenhuma prova pictórica. Aparentemente, quando um gladiador caía, apelava à misericórdia da multidão com um indicador erguido. A maioria das fontes concorda em que, em resposta, a multidão 'erguia o polegar' ou 'baixava o polegar'. Costuma-se dizer que um polegar erguido significava morte, e um voltado para baixo, vida – embora explicação oposta possa ser encontrada em muitas fontes. Em *Gladiador* (2000), de Ridley Scott, o polegar erguido significou vida, e vice-versa. Ali, a vida do gladiador Maximus (Russell Crowe) foi poupada quando a multidão gritou 'salve' e fez o gesto de polegar para cima, desse modo levando o imperador Commodus a poupar a vida de seu inimigo.

ARROBAS

Arroba é a unidade utilizada para pesar touros selecionados para participarem de touradas na Espanha. Uma *arroba* equivale a aproximadamente 15 quilos; o peso considerado ideal para um touro seria de 30 arrobas.

ESPORTE & DINHEIRO

'Um cavalheiro digno desse título jamais compete por dinheiro, seja direta, seja indiretamente. Ninguém deve se enganar a esse respeito. Não importa quão tortuoso seja o caminho capaz de acabar trazendo uma moeda para o seu bolso, esse é o preço daquilo que deveria ser mais precioso para vocês do que qualquer outra coisa: a sua honra.'

WALTER CAMP, 1893
O 'Pai do Futebol Americano'

'Se gastarem U$1 milhão por ano, isso significa viver mais do que bem. Se metade for para os impostos, e sei lá mais o quê, e eles gastarem 10%, sobram 40%. Um sujeito economiza U$40 milhões de US$100 milhões e compra títulos livres de impostos que rendem 5%. Então, tem U$2 milhões por ano entrando em sua conta pelo resto da vida...'

CURTIS POLK, 1997
*Agente de esportistas,
sobre seus clientes*

A REGRA DE NAISMITH

W.W. Naismith, um dos fundadores do Scottish Mountaineering Club, concebeu uma fórmula para permitir a andarilhos em regiões acidentadas ou montanhosas avaliar o tempo necessário para empreender uma expedição. A premissa da Regra de Naismith consistia em atribuir uma hora para cada 5 quilômetros (3 milhas) medidos no mapa do itinerário, mais meia hora para cada subida de 300 metros (mil pés). Por exemplo:

10km ($\therefore$2h) no mapa + 870m ($\therefore$1h30m) de subida = 3h30m

Naturalmente, essa fórmula pressupõe razoável preparo físico, clima favorável, um grupo de ritmo igual, boas condições do solo e uma mochila com peso suportável. A maioria considera que Naismith foi impressionantemente obstinado ou apenas absolutamente otimista, e por cautela muitas expedições aumentam o tempo em 50%. Vários outros excursionistas (Aitken, Tranter, Langmuir, Kennedy *et al.*) sugeriram métodos mais sofisticados de cálculo levando em conta fatores ignorados por Naismith, como tipo de terreno, velocidade de descida, variações sazonais, ventos, cansaço, condições climáticas e assim por diante.

CRÍQUETE EQUESTRE

Uma partida de críquete muito singular será disputada na terça-feira, 6 de maio, em Linsted Park, entre o Gentlemen of the Hill e o Gentlemen of the Dale, a um guinéu por pessoa. Será inteiramente disputada a cavalo. A partida irá começar às 9 horas. Uma boa refeição no local por John Hobgen.

— Anúncio, *The Kentish Gazette*, 29 de abril de 1794

PIQUE

Há muitas versões do jogo de pátio 'pique', todas elas com base na premissa de que um jogador é quem 'pega' – e quem 'pega' é muito contagioso.

SEGURANÇA · na qual os jogadores estão seguros se tocarem em um objeto definido. Mas apenas uma pessoa por vez pode tocar no objeto.

AJUDA · na qual qualquer jogador tocado por quem 'pega' *também* passa a 'pegar'. O último jogador não apanhado vence.

CONGA · jogadores tocados por quem 'pega' devem agarrá-lo pela cintura e se juntar a ele na caçada. Desse modo se forma uma fila de conga; mas apenas o primeiro e o último podem contaminar outro.

BOLA · melhor jogada em um espaço fechado. Quem 'pega' está armado com uma bola de tênis ou futebol e a função é passada ao primeiro jogador tocado pela bola.

ESTÁTUA · alguns perseguidos são considerados estátuas, imunes a quem 'pega', mas devendo ficar imóveis. Outros podem descansar da caçada tocando no ombro de uma estátua e trocando de lugar, com a ex-estátua de volta ao jogo.

PRESO NA LAMA · um jogador tocado por quem 'pega' fica paralisado com braços e pernas abertos, e só pode ser arrancado da lama quando outro jogador se arrasta por baixo de suas pernas. Se quem 'pega' conseguir prender todos na lama, o último a ser preso passa a 'pegar'.

PIQUE ALTO · os jogadores estão a salvo de quem 'pega' caso os dois pés estejam fora do chão; é possível se pendurar com as mãos, mas não saltar.

A LOTERIA DE 1569

A primeira loteria inglesa consistiu de 400 mil bilhetes custando 10 xelins. Ela foi sorteada em 1569 no portão de St. Paul. Os preços foram dados em moedas de prata e a renda foi usada na reforma dos portos.

CORRIDAS DE ARRANCADA E ÁRVORES DE NATAL

A arrancada é uma disputa de aceleração em linha reta entre dois veículos – normalmente ao longo de 400 ou 200 metros. Há uma enorme gama de categorias, mas são quatro as principais classes de carros de arrancada:

TOP FUEL · melhores carros de arrancada, podem ir de 0 a 160km/h em menos de um segundo. São abastecidos com nitrometano, queimando 54 litros (cerca de 500 dólares).

FUNNY CAR · carros com motores especiais abastecidos com metanol ou etanol e com carroceria de fibra de vidro ou fibra de carbono. Podem percorrer 400m em 5,7 segundos a 380km/h.

PRO STOCK · cupês ou sedãs de rua de duas portas com menos de cinco anos, com motores carburados a gasolina que podem fazer mais de 300km/h. Pela ligação com os carros de linha, a pro-stock é considerada uma categoria de puristas.

PRO MODIFIES · classe diferente de veículos com motores e chassis modificados, alguns com compressores ou injeção de óxido nítrico.

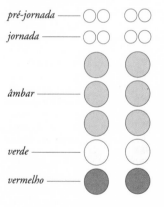

pré-jornada
jornada
âmbar
verde
vermelho

As corridas são iniciadas e cronometradas por luzes chamadas de 'árvore de Natal'. Quando um feixe de infravermelho de cerca de 9 polegadas na linha de partida é rompido, as luzes de *pré-jornada* se acendem. Um segundo feixe na linha dispara as luzes de *jornada* quando a frente do pneu a rompe. As luzes *âmbar* se acendem juntas para indicar que a corrida vai começar, e 0,4 segundo depois as luzes de partida *verdes* se acendem. Se os carros cruzam a linha antes do *verde*, as luzes de falta *vermelhas* se acendem.

HORAS DE SONO NECESSÁRIAS

Um *viajante* de cinco horas deve precisar,
Para dormir, um *estudante* sete horas terá,
E todo *trapaceiro* preguiçoso nove horas vai gastar.

ou

A *Natureza* exige seis · o *Hábito*, sete · a *Preguiça*, nove · e a *Iniquidade*, onze

BARALHO IRAQUIANO

Um dos mais curiosos baralhos já criados foi divulgado em 2003 pelo Departamento de Defesa dos EUA. 'Cartas de Identidade Pessoal' apresentava imagens dos mais procurados funcionários do governo iraquiano:

♠A................Saddam Hussein
♠K...........Ali Hassan al-Majid
♠Q..Muhammad Hamza Zubaydi
♠J...........Ibrahim Ahmad Abd
al-Sattar Muhammad
♠10..........Hamid Raja Shalah
♠9....Rukan Razuki Abd al-Ghafar
♠8......................Tariq Aziz
♠7..............Mahmud Dhiyab
♠6.....Amir Rashid Muhammad
♠5.......Watban Ibrahim Hasan
♠4...........Muhammad Zimam
Abd al-Razzaq
♠3.....Sa'd Abdul-Majid al-Faisal
♠2............Rashid Taan Kazim
♣A.................Qusay Hussein
♣K.................Izzat Ibrahim
♣Q.....Kamal Mustafa Abdallah
♣J...........Sayf al-Din Fulayyih
Hasan Taha
♣10..........Latif Nusayyif Jasim
♣9.......Jamal Mustafa Abdallah
♣8.........Walid Hamid Tawfiq
♣7.........Ayad Futayyih Khalifa
♣6....Husam Muhammad Amin
♣5.........Barzan Ibrahim Hasan
♣4..............Samir Abd al-Aziz
♣3.....................Sayf al-Din
♣2.................Ugla Abid Saqr

♦A.......Abid Hamid Mahmud
♦K......................Aziz Salih
♦Q.........Muzahim S'ab Hasa
♦J............Tahir Jalil Habbush
♦10.........Taha Yasin Ramadan
♦9....Taha Muhyi al-Din Maruf
♦8......Hikmat Mizban Ibrahim
♦7.........Amir Hamudi Hasan
♦6.......Sabawi Ibrahim Hasan
♦5..............Abd al-Baqi Abd
al-Karim Abdallah
♦4.................Yahya Abdallah
♦3.................Mushin Khadr
♦2.........Adil Abdallah Mahdi
♥A..................Uday Hussein
♥K......Hani Abd al-Latif Tilfah
♥Q........Barzan Abd al-Ghafur
Sulayman Majid
♥J.......Rafi Abd al-Latif Tilfah
♥10................Abd al-Tawab
Mullah Huwaysh
♥9...........Mizban Khadr Hadi
♥8.......Sultan Hashim Ahmad
♥7....Zuhayr Talib Abd al-Sattar
♥6............Muhammad Mahdi
♥5..Huda Salih Mahdi Ammash
♥4...Humam Abd al-Khaliq Abd
♥3.......Fadil Mahmud Gharib
♥2..............Ghazi Hammud

O baralho possui 2 curingas, sendo que em um são listados títulos honoríficos árabes, enquanto no outro constam patentes militares iraquianas.

ESPECIFICAÇÕES DE PISCINAS OLÍMPICAS

Comprimento................50m
Largura.......................25m
Número de raias................8

Largura da raia...............2,5m
Temperatura da água...25º–28ºC
Intensidade da luz.....>1.500 lux

ABAIXO DO CINTO

O cinto de boxe é uma linha imaginária do umbigo ao alto do quadril.

QUEBRA-CABEÇAS TANGRAMA

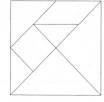

O Tangrama, ou Enigma da Âncora, é um quebra-cabeça tradicional chinês composto de um quadrado dividido em sete formas: cinco triângulos, um quadrado e um losango. (O nome chinês *Ch'i ch'iao t'u* pode ser traduzido como 'sete planos engenhosos'.) Centenas de formas podem ser feitas a partir dessas peças (todas devem ser usadas), mas as mais complexas são as que parecem mais simples:

[As soluções desse clássico quebra-cabeça Tangrama estão na p.160.]

NELSONS ESPORTIVOS

O nome Nelson aparece em vários esportes, principalmente, claro, no críquete e na luta. O visconde Horatio Nelson (1758–1805) foi o almirante que comandou a Marinha britânica durante a Guerra Revolucionária Francesa e os primeiros estágios das Guerras Napoleônicas; morreu na Batalha de Trafalgar, na qual os ingleses desbarataram as frotas combinadas da França e da Espanha. Nelson perdeu a visão do olho direito na Batalha de Calvio (1794), e o braço direito tentando tomar Santa Cruz (1797) – ferimentos que definiram o espírito indômito do marinheiro inglês e, de alguma forma, penetraram no mundo do esporte. No críquete, Nelson é o placar 111 (também 222 e 333), e provavelmente deriva do estado monocular e unibraquial de Nelson. Quando batedores chegam a esse placar, alguns supersticiosamente tiram os pés do chão; o árbitro David Shepherd chega mesmo a executar uma pequena dança. O mundo da luta está cheio de Nelsons – quarto de Nelson, meio Nelson, três quartos de Nelson e Nelson completo –, que são imobilizações em que o lutador trava os braços ao redor do pescoço do adversário. (A ideia escolar de um Nelson é quando um ou os dois braços estão dobrados em ângulo reto atrás das costas.) Durante algum tempo máquinas caça-níqueis com uma alavanca também foram apelidadas de Nelson.

SOBRE SONHOS E SONHAR

CARL JUNG · Sua visão só ficará clara quando puder olhar dentro de seu próprio coração (...) Quem olha para fora sonha; quem olha para dentro desperta.

RALPH WALDO EMERSON · Avalie seu caráter natural pelo que você faz em seus sonhos.

JOAN DIDION · Todos temos os mesmos sonhos.

WILLIAM DEMENT · O sonho permite que todos nós sejamos silenciosa e seguramente insanos todas as noites de nossas vidas.

SADIE DELANY · Em nossos sonhos, somos sempre jovens.

W.B. YEATS · Espalhei meus sonhos sob seus pés. Caminhe suavemente, pois você caminha sobre meus sonhos.

HENRY DAVID THOREAU · Se a pessoa avança confiantemente na direção dos seus sonhos, e busca levar a vida que imaginou, terá inesperado sucesso nos momentos comuns.

CHUANG–TSÉ · Não sei se era então um homem sonhando que era uma borboleta ou se sou agora uma borboleta sonhando que é um homem.

WILLIAM SHAKESPEARE · Nós somos a matéria dos sonhos; e nossa vidinha é cercada de sono. [*A tempestade*, IV.i.]

VICTOR HUGO · Substituir o sonho acordado pelo pensamento é confundir um veneno com uma fonte de alimento.

BOB DYLAN · Sou contra a natureza. De modo algum investigo a natureza. Acho que a natureza não é nada natural. Acho que as coisas verdadeiramente naturais são os sonhos, que a natureza não pode estragar.

HENRIK IBSEN · Castelos no ar – é muito fácil se esconder neles. Muito fácil também construí-los.

FRIEDRICH NIETZSCHE · Eu voo nos sonhos. Eu sei que é um privilégio, mas não me lembro de uma única situação em sonhos em que fosse incapaz de voar. Executar todo tipo de curva e ângulo com um leve impulso, uma matemática do voo – é uma felicidade tão específica que moldou de forma permanente minha noção básica de felicidade.

GEORGE BERNARD SHAW · Você vê coisas e pergunta: por quê? Mas eu sonho coisas que nunca existiram, e pergunto: por que não?

JOHN UPDIKE · Sonhos se tornam realidade; sem essa possibilidade a natureza não nos incitaria a tê-los.

GÉRARD DE NERVAL · Sonhos são uma segunda vida. Nunca consegui cruzar, sem um tremor, aqueles portões de marfim ou em chifre que nos separam do mundo invisível.

SOBRE SONHOS E SONHAR cont.

MARCEL PROUST · Se um pequeno sonho é perigoso, a cura para isso não é sonhar menos, mas sonhar mais, sonhar o tempo todo.

STEPHEN VINCENT BENÉT · Homens que sonham são homens assombrados.

STEPHEN BROOK · Não contaminados por noções rudimentares de tempo e espaço, os sonhos flutuam ou disparam, deixando em sua esteira uma trilha de desconforto, esperanças, medos e ansiedades.

T. E. LAWRENCE · Todos sonham, mas não igualmente. Aqueles que sonham à noite nos recessos empoeirados de sua mente acordam para o dia e descobrem que era futilidade; mas os sonhadores diurnos são homens perigosos, pois podem construir seus sonhos de olhos abertos, torná-los possíveis.

ERICH FROMM · Tanto os sonhos quanto os mitos são importantes formas de comunicação consigo mesmo. Se não entendermos a linguagem na qual são escritos, perderemos muito do que sabemos e dizemos a nós mesmos naquelas horas em que não estamos ocupados manipulando o mundo exterior.

MICHEL DE MONTAIGNE · Eu sustento ser verdade que os sonhos são intérpretes fiéis de nossos impulsos; mas é uma arte escolhê-los e compreendê-los.

VIRGINIA WOOLF · Mas é em nosso ócio, em nossos sonhos, que a verdade submersa algumas vezes vem à tona.

SIGMUND FREUD · A interpretação dos sonhos é o caminho real para a compreensão da atividade inconsciente da mente. (Ver p.77.)

ALGUMAS CORES DE CORRIDAS DE CAVALOS

Xeque Mohammed............................castanho, mangas brancas; boné castanho, estrela branca
Vinnie Jones.................. azul-claro, disco vermelho; boné vermelho
Lorde e lady Lloyd-Webber................................rosa, faixa cinza
Príncipe de Gales..................escarlate, mangas azul-real; boné preto
Robert Sangster.........verde, mangas azuis; boné branco, pintas verdes
Sir Clement Freud.......................preto, mangas em arcos laranja; boné preto, pintas laranja
J.P. MacManus...............verde-esmeralda, arcos laranja; boné branco
Ronnie Wood...branco, faixa vermelha, mangas brancas, costura vermelha
Khaled Abdullah ....verde, faixa rosa, mangas brancas; boné rosa
SM A Rainha ..púrpura e dourado, mangas escarlate; boné preto e dourado
AS Aga Khan.....................................verde, dragonas vermelhas
Sir Peter O'Sullevan ....preto, faixas cruzadas amarelas; boné amarelo

O CONSELHO DE UM PAI AO FILHO

Mark H. Beaufoy (1854–1922), membro do parlamento (1889–95), escreveu estas linhas para seu filho, Henry Mark Beaufoy, ao dar a ele uma arma:

Se um verdadeiro caçador quiser ser, Preste atenção no que tenho a dizer:

Nunca, nunca deixe sua arma
Para alguém apontada;
Importa muito pouco a mim
Que ela possa não estar carregada.

Por mais tempo que tome,
Quando pular uma cerca ou muro,
Tire o cartucho da sua arma,
Para ficar mais seguro.

Caso se cruzem a sua e outra arma vizinha,
Pássaros podem voar ou animais correr,
Que esta máxima seja a sua:
Não avance cruzando a linha.

Batedores às vezes invisíveis
Atrás da folhagem podem se mexer;
Seja sempre calmo e sereno:
Nunca atire no que não pode ver.

A caça ouve e a caça vê:
Mantenha silêncio e fique parado;
Não seja ganancioso; é melhor
Um faisão perdido que um repartido.

Você pode matar ou pode errar,
Mas todos os faisões do mundo,
Pense sempre nisso,
Não compensam um homem defunto.

NIM

Embora o jogo provavelmente tenha surgido na China – onde é conhecido como *Tsyan-shidzi* –, o Nim foi batizado e popularizado em 1901 pelo matemático C.L. Bouton, que o usou para estudar os binários. O Nim é enganadoramente simples, para duas pessoas, e pode ser jogado com qualquer conjunto de objetos semelhantes, como palitos ou moedas. Os objetos são dispostos como ao lado, e os jogadores alternadamente retiram qualquer número de objetos que queiram, *de apenas uma fila.* O jogador que retira o último objeto é o perdedor (ou vencedor, dependendo de qual versão é jogada). O mais elegante jogo de Nim é o disputado no clássico de Alain Resnais de 1962 *O ano Passado em Marienbad*, que tem o seguinte diálogo: 'Eu conheço um jogo em que sempre ganho.' 'Se você não pode perder não é um jogo.' 'Eu posso perder, mas sempre ganho.'

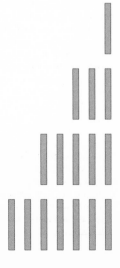

CORINTHIANS

Além de definir uma decorada ordem grega de colunas, o termo 'corinthians', em inglês, é usado no mundo dos esportes para definir um amador entusiasmado, frequentemente rico, normalmente elegante. Pelo menos desde o século XVI o termo tem tom pejorativo, e era utilizado para amaldiçoar uma classe de fornicadores preguiçosos e inteiramente desavergonhados. Francis Grose, em seu *Dictionary of the Vulgar Tongue*, de 1785, descreve os 'corinthians' como 'frequentadores de bordéis; também um sujeito descarado'. Aparentemente essas associações derivam do comportamento lascivo popularmente considerado endêmico na Corinto grega e romana. Com o tempo, o termo tornou-se menos incisivo e passou a ser usado para descrever 'janotas' e esportistas diletantes. Atualmente muitos times esportivos amadores chamam a si mesmos de coríntios.

ALGUMAS CITAÇÕES DE XADREZ

NIGEL SHORT · O xadrez é impiedoso: você precisa estar preparado para matar pessoas.

SHERLOCK HOLMES · A excelência em xadrez é uma das marcas de uma mente ardilosa.

JAMIE MURPHY · O xadrez, como a matemática e a música, é um berçário para crianças-prodígio.

PROVÉRBIO INDIANO · O xadrez é um mar onde um mosquito pode beber e um elefante pode se banhar.

BOBBY FISCHER · Eu gosto do momento em que destruo o ego de um homem.

G.B. SHAW · Um expediente tolo para fazer preguiçosos acreditarem que estão fazendo algo inteligente, quando estão desperdiçando tempo.

LENIN · O xadrez é a academia de ginástica da mente.

THOMAS FULLER · Quando a casa de um homem está pegando fogo, é hora de interromper o xadrez.

JANE AUSTEN SOBRE BEISEBOL X LIVROS

(...) Não havia nada de muito espantoso no fato de que Catherine, que por natureza não tinha nada de heroica, preferisse críquete, beisebol, cavalgar e correr pelo interior aos 14 anos de idade a livros – ou pelo menos livros de informação –, pois, contanto que nenhum conhecimento útil pudesse ser obtido deles, contanto que fossem apenas histórias e nenhuma reflexão, ela nunca fizera qualquer objeção aos livros.

— JANE AUSTEN, *A abadia de Northanger*, 1818

——— UMA HIERARQUIA DE AÇÃO E INAÇÃO ———

Muitos autores vitorianos alertavam para os perigos tanto do ócio quanto do excesso de atividade. Abaixo, um dos muitos guias para uma vida 'decente':

† MORTE †	VIGOR	PASSIVIDADE
CONVULSÃO	DISPOSIÇÃO	INDIFERENÇA
MANIA	ENERGIA	ATARAXIA
FRENESI	ENTUSIASMO	APATIA
APOPLEXIA	DILIGÊNCIA	INÉPCIA
TURBILHÃO	ATIVIDADE	INDOLÊNCIA
TUMULTO	TRABALHO	DESORIENTAÇÃO
AGITAÇÃO	EMPREGO	DORMÊNCIA
ANSIEDADE	DEVER	FIXIDEZ
HIPERATIVIDADE	ORAÇÃO	INCOERÊNCIA
IRRITAÇÃO		PREGUIÇA
DESCOMPOSTURA		ÓCIO
PERTURBAÇÃO	A VIDA EQUILIBRADA DE UM HUMILDE E DEVOTADO PENITENTE · DEUS	INDOLÊNCIA
AGITAÇÃO		INÉRCIA
EXCITAÇÃO		VADIAGEM
NERVOSISMO		PROCRASTINAÇÃO
DESCONFORTO		DESATENÇÃO
INQUIETAÇÃO	ORAÇÃO	TORPOR
PRESSA	SERENIDADE	ENTORPECIMENTO
ATROPELO	TRANQUILIDADE	INSENSIBILIDADE
INQUIETUDE	EQUILÍBRIO	ESTAGNAÇÃO
ALGAZARRA	PLACIDEZ	OSSIFICAÇÃO
AGLOMERAÇÃO	CONTEMPLAÇÃO	VEGETAÇÃO
AMOLAÇÃO	QUIETISMO	INDIFERENÇA
AMBIÇÃO	QUIETUDE	INCONSCIÊNCIA
ANIMAÇÃO	FLEUGMA	COMA
VIVACIDADE	IMPERTURBABILIDADE	† MORTE †

——————MORNINGTON CRESCENT——————

Se você entendeu Mornington Crescent,
nada mais em sua vida faz sentido.
— JEREMY HARDY

Poucos passatempos combinam esporte, jogo e ócio de forma tão perfeita quanto o jogo de *Mornington Crescent*. Desde o princípio o jogo se mostrou uma prova de agilidade mental, consciência geográfica e topológica, raciocínio estratégico e manipulação psicológica. Paul Merton certa vez descreveu o *Mornington Crescent* como um 'xadrez para a mente', e analistas fazem comparações com os ensinamentos de Sun Tzu em *A arte da guerra* e com o trabalho de Phyllis Pearsall, a primeira a mapear o *London A-Z*. O apelo popular do jogo se deve principalmente à sua inclusão no programa da BBC Radio 4 *I'm Sorry I Haven't a Clue*. Os grandes mestres inquestionáveis são Graeme Garden, Barry Cryer, Tim Brooke-Taylor e o falecido Willie Rushton. O famoso trompetista Hump-'rey' Lyttleton é visto como o principal juiz das regras um tanto bizantinas de *Mornington Crescent*, além de 'Leis Metropolitanas Originais de Lorde Grosvenor' e 'Variação da Linha Principal de Hooper'. (Contudo, a paixão de Humph pelo jogo tem sido questionada à medida que decisões recentes parecem mais desinteressantes que desinteressadas.) A premissa enganadoramente simples do jogo (o primeiro jogador a anunciar Mornington Crescent vence) esconde uma miríade de perigos, armadilhas e convenções sutis. Abaixo, Graeme Garden dá algumas dicas para aspirantes e praticantes:

JOGO SEGURO – O jogador 'em vantagem' deve ser sábio e não abrir laterais e diagonais na mesma jogada. Baker Street é sempre uma pedida arriscada na metade do jogo, mas pode ser um bom argumento em longas progressões de Crabbit.

JOGO DE ALTO RISCO – 'Baldeação cega' só deve ser tentada por um jogador experiente, especialmente um que domine o último Teorema de Fairlop. 'Chavetar o Metrô' pode ser divertido, mas lembre-se de ficar de olho nas conexões suburbanas de seu adversário. Ninguém quer ser apanhado '*Stovolding*' em *Nip*! Na dúvida, invoque a Regra de Chatam House.

JOGO PROFUNDO – Essa é a base do jogo da forma como é praticado no nível Club and County. Limites de tempo são aplicados a cada movimento, fora conexões, de modo que o jogo pode ser vencido ou perdido por soma de punições. Assim, é prudente esquecer toda e qualquer tentativa de misturar terminais, e jamais se deve considerar circular sem *Parson's Green*.

JOGO RADICAL – Deve ser desestimulado.

Stovold's Mornington Crescent Almanac, organizado por Graeme Garden, 1991, é aceito como a maior autoridade em estratégia de jogo de *Mornington Crescent*.

——————————— ÍNDICE ———————————

'Estique o braço, Watson, e veja o que V tem a dizer.' Eu me recostei e peguei o grande volume de índice ao qual ele se referia. Holmes o equilibrou no joelho, e seus olhos se moveram lenta e amorosamente pelo registro de antigos casos, misturado com a informação acumulada ao longo de toda uma vida. 'A viagem do *Gloria Scott*', leu ele. 'Esse foi um problema (...) Victor Lynch, o falsário. Lagarto venenoso ou monstro-de-gila. Caso marcante, esse! Vittoria, a beldade do circo. Vanderbilt e o arrombador. Víboras. Vigor, o ferreiro maravilha. Grande! Grande! Bom e velho índice. Não há como superá-lo. Veja isso, Watson. Vampirismo na Hungria. E, novamente, Vampiros na Transilvânia.'

— ARTHUR CONAN DOYLE, *O Vampiro de Sussex*, 1924

——————— ABAIXO DO CINTO – CAÇA-NÍQUEIS ———————

O que os leitores pedem hoje de um livro é que ele possa aperfeiçoar, instruir e elevar. Este livro não irá elevar uma vaca. Não posso conscientemente recomendá-lo para qualquer objetivo útil. Só o que posso sugerir é que quando você se cansar de ler 'os cem melhores livros', pegue este por meia hora. Será uma mudança.

— JEROME K. JEROME, *Idle Thoughts of an Idle Fellow*, 1886

———————— PROPORÇÃO DE VERBETES ————————

Esportes 46% · Jogos 28% · Ócio 26%